HANNEKE BEAUMONT

The publisher and the artist wish to thank
Mijntje Lukoff for her collaboration to the present edition.
L'éditeur et l'artiste remercient Mijntje Lukoff
pour sa collaboration à la présente édition.

Texte traduit de l'anglais par Aude Tincelin

© 2008 Editions Cercle d'Art, Paris

ISBN 978 2 7022 0846 5

Imprimé en Italie

HANNEKE BEAUMONT

ROBERT C. MORGAN

ÉDITIONS CERCLE D'ART

HANNEKE BEAUMONT
by/par Robert C. Morgan

THE NATURE OF BEING
LA NATURE DE L'ÊTRE

The sculpture of Hanneke Beaumont offers a contemporaneous view of reality comparable to that of other leading sculptors in our time. Given her pronounced commitment to the figure, her acute plasticity, and her indefatigable approach to expressive values in art, Beaumont's sculpture retains a powerful aesthetic that includes a strong psychological dimension. Her subtle maneuvering of classical form is on a level with some of the best sculpture produced over the past decade. Along with artists such as Tony Cragg, Magdalena Abakanowicz, Ursula von Rydingsvard, Richard Serra, Reg Butler, and Eduardo Chillida, Hanneke Beaumont is less concerned with conventional formalism than with the invention of daring new concepts of form. Having evolved from a unique historical position through her own visionary insight, Beaumont rejects ornamentation and ironic comment in favor of sculpture as a dramatic form of reflection that touches on the nature of Being in a deeply fragmented world. Steeped in a tradition of classical Modernism, her work retains aspects of expressionism aligned with such early twentieth century sculptors as Gerhard Marcks and Kathe Kollwitz. Beaumont's own method reveals a clarity, coherence, and visual refinement that is incisive and unencumbered. Her command of the medium – including weight, proportion, gesture, and surface tactility – is unparalleled among figurative sculptors working today.

The subtle emotions found in works by Hanneke Beaumont cannot be reduced to an illustration. They are feelings of solitude and alienation.

Hanneke Beaumont pose sur le monde contemporain un regard aussi pénétrant que celui de sculpteurs majeurs de notre temps. D'une esthétique puissante, ses sculptures affirment une profondeur psychologique qui se traduit par un attachement marqué à la figure, une intense plasticité et la quête inlassable de qualités expressives. Sa maîtrise aiguë de la forme classique rivalise avec certaines des sculptures les plus remarquables de ces dix dernières années. À l'image d'artistes comme Tony Cragg, Magdalena Abakanowicz, Ursula von Rydingsvard, Richard Serra, Reg Butler ou Eduardo Chillida, Hanneke Beaumont s'attache moins au formalisme académique qu'à l'invention d'audacieux concepts de forme. De son point de vue historique personnel, Hanneke Beaumont suit une vision originale et inspirée ; elle rejette l'ornementation et le commentaire ironique pour aborder la sculpture comme forme dramatique de pensée, touchant ainsi, dans notre monde profondément fragmenté, à la nature de l'Être. Ancrée dans la tradition du modernisme classique, son œuvre, par son caractère expressionniste, fait écho à des sculpteurs du début du XXe siècle comme Gerhard Marcks ou Kathe Kollwitz. La méthode même de Beaumont révèle une acuité, une cohérence et un raffinement visuel aussi libres qu'incisifs, et sa maîtrise du médium – masse, proportions, geste et toucher – est sans égale parmi les sculpteurs figuratifs contemporains.

Les émotions subtiles que recèle l'œuvre de Hanneke Beaumont ne peuvent être réduites à la simple illustration. Elles représentent des sentiments de solitude et d'aliénation. Elles sont des réalités de notre temps.

They are realities of the present. Her work has evolved in the context of the digital era at a historical moment when the human factor is steadily losing ground. The feelings that emanate from her figures may be similar to those felt in earlier forms of expressionism, but they exist on another level. Figurative sculpture that holds an awareness of deep psychological content is expressed differently today than in the immediate post-World War II era, in the great late works of Giacometti. But one era cannot repeat another in a convincing way. The subtle existential feelings that one derives from a Beaumont radiate their own particular kind of sensitivity and endurance – a message of hope – that belongs to today's art, and therefore, challenges the autonomous cybernetic generators, the robotic calculators, that blunder ahead into the twenty-first century without human intervention.

I find the sculpture of Hanneke Beaumont holds a certain aesthetic equivocation between being present and being absent. When I view her terracotta and bronze figures, they emerge and re-emerge from different angles as I move around them. There is a silent, disarming quality that resounds from her sculpture. Her figures sit, stand, walk, kneel, recline, and squat, as if possessed in a dream-like, ethereal environment – a world that may, at times, appear other-worldly. The ensemble of seated personages in her early *Installation I* (115, 116) and *Installation II* (114, 118), both 1993, for example, are seemingly bold and pensive, yet, they are forever distraught, introverted, anxious, and curious. They seem to exist in a hiatus between one action and another.

Son œuvre s'est affirmée au début de l'ère numérique, à ce moment historique où le facteur humain commençait peu à peu à perdre du terrain. Si les sentiments qui émanent de ses figures peuvent évoquer ceux de formes antérieures d'expressionnisme, leur dimension est tout autre. La conscience psychologique aiguë de la sculpture figurative avait une signification différente dans l'immédiat après-guerre et dans les grandes œuvres tardives de Giacometti. Mais une époque ne peut légitimement en reproduire une autre. Des subtils sentiments existentiels représentés par ses sculptures émane une forme singulière de sensibilité et de résistance, un message d'espoir au cœur de l'art d'aujourd'hui. Un message défiant les générateurs cybernétiques autonomes et autres calculateurs robotisés, qui, hors de toute intervention humaine, ont pénétré par effraction dans le XXIe siècle.

Entre présence et absence, les sculptures de Hanneke Beaumont manifestent une forme d'équivoque esthétique. À mesure que j'observe ses figures de terre cuite et de bronze, à mesure que je tourne autour d'elles, leur manière de s'imposer à moi fluctue. Elles dégagent une force silencieuse, désarmante. Assises ou debout, marchant ou agenouillées, allongées ou accroupies, elles semblent prises dans un espace onirique et éthéré – un monde qui, ici et là, paraît se détacher du monde. Les personnages assis d'*Installation I* (115, 116) et d'*Installation II* (114, 118) (deux œuvres de 1993) sont à la fois pensifs et résolus, éternellement égarés et enfermés, anxieux et curieux. Ils semblent exister dans l'intervalle qui sépare deux actions.

While inscrutable in their presence, they have the ability to transform emotional weight into lightness. As in the monumental granite carvings of Sakyamuni or the androgynous Kwan-yin (Kwannon), found in various regions of East Asia, Beaumont's figures appear male, while beckoning the viewer with an implicit female grace.

Given the weight of her materials – terracotta, steel, cast iron, and bronze – these figures resonate with a paradoxical lightness. *Bronze # 48*, 1997 (1) is another work that reveals this tension. Here an isolated personage with bald head and gown – typical of Beaumont's style – kneels on a steel base. There is gravity, but also lightness. A certain alchemical quality is implied in the pose of the genuflecting figure. Why this child-like gesture? This supplication? This prayer? Could it be a moment of reverie? A regression or a confession? Perhaps, we are witnessing an episode from a dream? There is a certain vacancy in the face, a removal from the routine concerns of daily life. The sexual signifier appears displaced or ironically intensified. There is a unity, an androgyny, like in the dark green jade from China used to carve the sumptuous figure of Kwan-yin?

Each of Beaumont's figures holds its own weight, its own place in time, whether sitting, standing, squatting or walking. They are often situated within an architectural space that sometimes appears infinite as the physical support – a steel I-beam, for example – is used to indicate a vastness or a seclusion within the realm of the void. A cantilevered edge protruding from a slab of steel offers the necessary asymmetrical balance in order to ensure formal stability.

1. INSTALLATION "MELANCHOLIA I", 1997
Bronze # 48 on Corten steel base: 305 × 64 × 210 cm
Cast iron # 48 on Corten steel base: 280 × 95 × 210 cm

Malgré leur présence insondable, ils parviennent à transformer la charge émotionnelle en légèreté. Tout comme les sculptures monumentales en granit de Sakyamuni, tout comme l'androgyne Kwan-yin (Kwannon) des régions d'Asie de l'Est, ces figures apparemment masculines charment le spectateur d'une grâce féminine informulée.

Au vu du poids des matériaux – terre cuite, acier, fonte ou bronze – ces figures vibrent d'une légèreté paradoxale. *Bronze # 48*, 1997 (1) est une des œuvres symptomatiques de cette tension. Là, un personnage isolé, chauve, vêtu d'une tunique typique du style de Beaumont, est agenouillé sur un socle de fer. La pesanteur se fait aussi palpable que la légèreté, et une certaine alchimie se dégage de la position de la figure. Pourquoi ce geste enfantin? S'agit-il d'une supplication? D'une prière? Assistons-nous à un moment de rêverie? À une régression ou à une confession? Sommes-nous les témoins de quelque épisode onirique? Ce visage manifeste un vide, repli des préoccupations routinières de la vie quotidienne. Femme ou homme? La distinction du genre semble déplacée ou ironiquement intensifiée, si bien qu'émerge une forme d'unité, d'androgynie – comme à travers le jade vert foncé de Chine utilisé pour sculpter la somptueuse figure de Kwan-yin.

Assise, debout, à genoux ou en mouvement, chaque figure de Beaumont s'impose par sa masse, occupe une place singulière dans le temps. Souvent disposé dans des espaces architecturaux apparemment démesurés, le support physique – comme les poutres métalliques – accentue l'immensité ou le repli dans le royaume du vide. Un rebord en console jaillissant d'une plaque métallique suffit pour assurer l'équilibre asymétrique nécessaire à l'affirmation de la stabilité formelle.

2. PLASTER MODEL # 81, 2007

117 × 34 × 32 cm

3. PLASTER MODELS # 81 AND # 84, 2007

Pages suivantes - Following pages:

4, 5. BRONZES # 81 AND # 84, 2007

Bronze # 81 : 117 × 34 × 32 cm
Bronze # 84 : 117 × 42 × 32 cm

Ci-contre et double page suivante
- Opposite and next spread:
6-9. BRONZE # 80, 2006

31 × 25 × 17 cm

Ci-contre et pages suivantes - Opposite and following pages:

10-12. "STEPPING FORWARD", 2006

Bronze on base, 580 × 196 × 145 cm
European Council of Ministers, Brussels

This is made evident in *Interaction and Self-Protection* (70-74) in Ganshoren, Brussels, where a crouching bronze figure is placed on a monumental L-shaped architectural support. Beaumont's sculpture depends on spatial balance. In conceiving the sculpture, as in the process of making it, the artist pursues a syntactical arrangement, seeking to give the parts compositional unity. The artist's commitment towards realizing this dramatic feature is made clear in her depth of structural insight – a feat of engineering necessary to the success of her aesthetic vision – along with a willful consistency of intent, an astute physical dexterity, and an open-ended, primal ambiguity.

For a work of art to feel modern is perhaps less dependent on empiricism or objectivity than the emotional construct of who we are and how we have learned to perceive the world. Quite simply, we feel something that we have been predisposed to feel. Yet there is something about the human figure in art – particularly when seen in three-dimensions – that may generate heightened levels of emotional response than transcends our predictable and normative ways of seeing. Hanneke Beaumont's *Stepping Forward* (10-16) installed in late 2006 in front of the new building designed for the summit meetings of the European Council of Ministers in Brussels, is a compelling large-scale figure of a walking personage that ascends nearly four meters high (six meters including its base). It is a totally unique work of art produced over a period of several months by Beaumont and cast by a team of workers at the Mariani foundry in Pietrasanta, Italy.

On retrouve cet équilibre asymétrique dans *Interaction and Self-Protection* (70-74) à Ganshoren, Bruxelles, où une figure de bronze est juchée au sommet d'un support monumental en forme de L. La sculpture de Beaumont joue de l'équilibre spatial. Toute sa conception, tout son processus de réalisation sont marqués par sa quête d'un arrangement syntaxique à même de conférer aux différentes parties une unité de composition. Sa détermination à accéder à ce caractère dramatique se traduit par l'ingéniosité du travail structurel – chef-d'œuvre de technique nécessaire à l'élaboration de sa vision esthétique –, qui va de pair avec une affirmation de la cohérence d'intention, une intelligence du mouvement et une ambiguïté fondamentale, toujours ouverte.

La modernité d'une œuvre dépend peut-être moins de l'empirisme ou de l'objectivité qu'elle ne tient à notre construction émotionnelle et à la manière dont nous avons appris à percevoir le monde. Car nous ressentons ce que nous sommes prédisposés à ressentir. Or, quelque chose dans la figure humaine en art – notamment tridimensionnelle – tend à créer des réactions émotionnelles intensifiées, dépassant nos modes prévisibles et normatifs de perception des choses. *Stepping Forward* (10-16), installé fin 2006 devant le nouveau bâtiment conçu pour les conférences au sommet du Conseil de l'Union européenne à Bruxelles, est une grande et impérieuse figure d'un personnage en marche, qui s'élève à près de quatre mètres (six mètres, socle compris). C'est une œuvre unique, produite par Beaumont et coulée par une équipe d'artisans sur une période de plusieurs mois à la fonderie Mariani de Pietrasanta, en Italie.

17. BRONZE # 69, 2006

25 × 18,5 × 10 cm

Ci-dessus et ci-contre - Above and opposite:

18, 19. DRAWINGS STUDIES OF BRONZE # 69, 2005

Mixed media on paper, 110 × 73 cm

20. DRAWING STUDY OF BRONZE # 69, 2005

Mixed media on paper, 73 × 110 cm

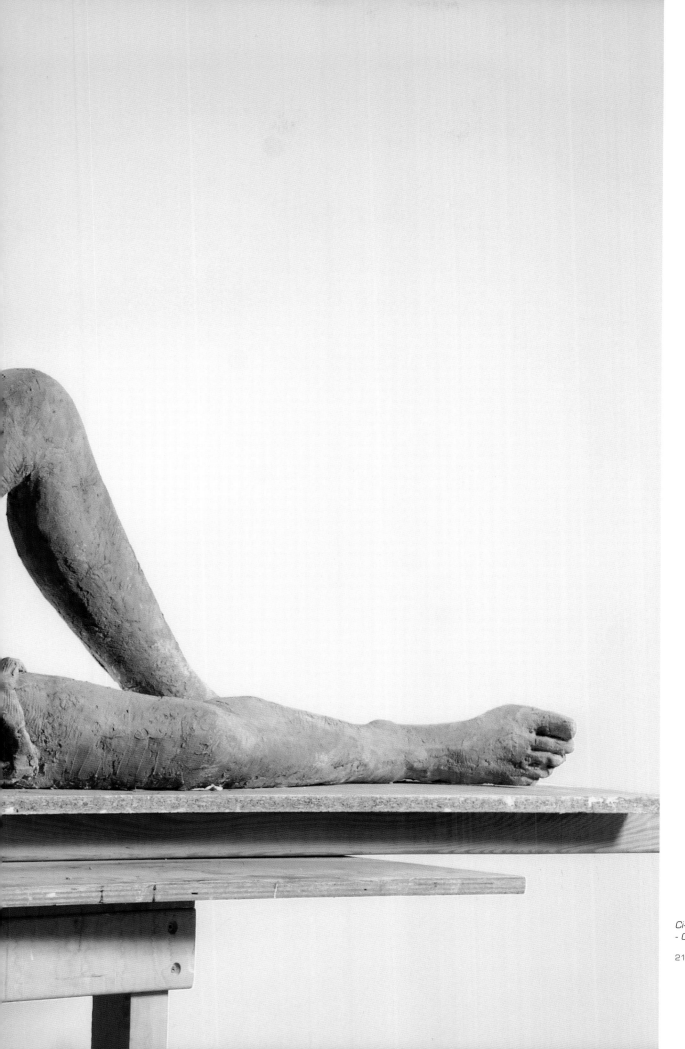

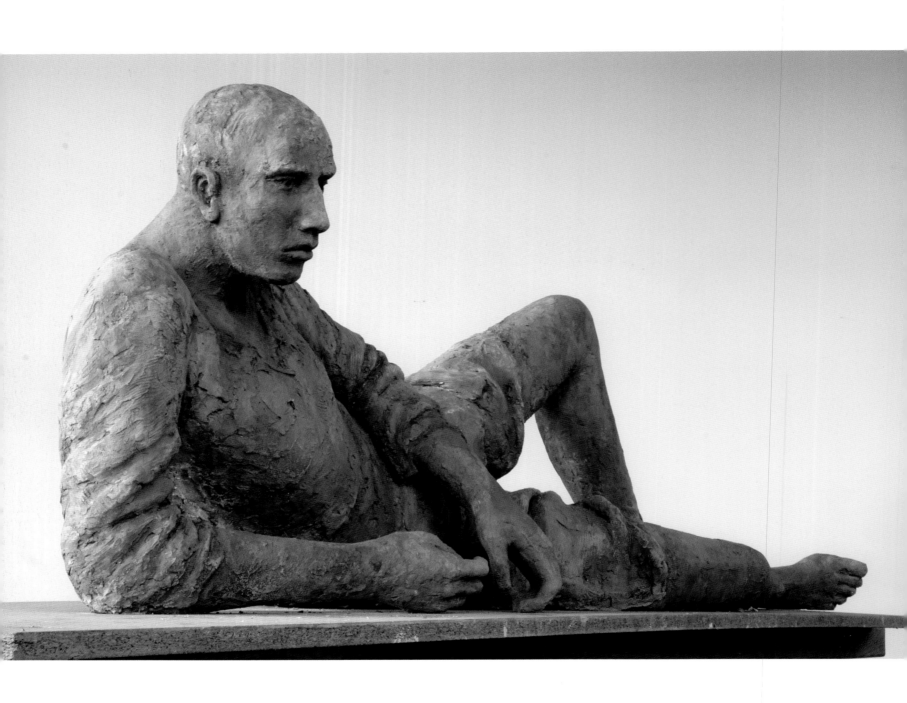

24. TERRACOTTAS # 78 AND # 82,
2006-2007

78: 69 × 190 × 67 cm
82: 71 × 154 × 69 cm

25. TERRACOTTA # 82, 2007
Detail

Working on TERRACOTTA # 78, 2006

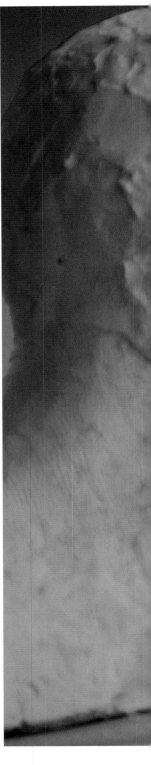

Working on PLASTER MODEL # 83, 2007

26. PLASTER MODEL # 83, 2007
31 × 45 × 30 cm

In the Council's view, its presence in Brussels shows the basic striving of the European Union as this body moves to conceptualize our global environment in terms of unity through diversity.

In confronting this sculpture, we may contextualize its strange and paradoxical intimacy relative to the enormous façade of glass and steel of the building adjacent to it. We may conceive of this work in terms of its symbolic affect, as a visual language signifying a political position, or we may see it in purely aesthetic terms. In either case, *Stepping Forward* (10-16) offers a lingering emotional resonance. For most viewers, the political symbol is the more immediate concern, and therefore holds a significance that is more pronounced than the artist's aesthetic concept. This, of course, varies according to the context. But generally speaking, the manner of feeling obtained through a slow process of viewing admits reflectivity without self-consciousness. In the case of Beaumont's sculpture, we could say that it is the realization of an innate attribute within us that connects our sense of the world with the nature of our internal Being. From the aesthetic perspective, *Stepping Forward* is more a sign than a symbol. It represents human consciousness amid the disarray of global conflict, warfare, paranoia, hunger, excess, suffering, disease, and unexpected joy – the entire vast universe of transitory events that encompass our present reality. I will speak more of this later in the essay.

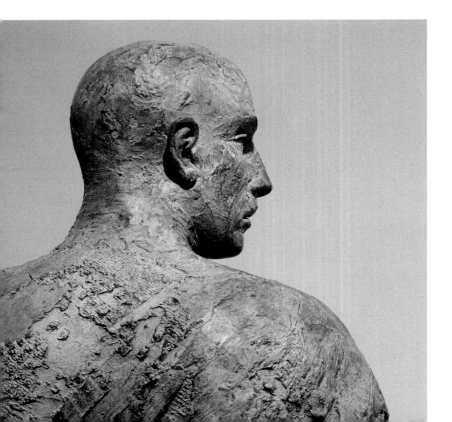

Au regard du Conseil, sa présence à Bruxelles évoque l'effort majeur de l'Union européenne, progressant dans la construction d'un environnement global visant l'unité au travers de la diversité.

Face à cette sculpture, nous pouvons recontextualiser l'étrange et paradoxale intimité avec la gigantesque façade de verre et d'acier du bâtiment adjacent, ou bien l'envisager en terme d'affect symbolique, comme l'expression visuelle d'une position politique, ou encore la considérer d'un point de vue purement esthétique. Mais quoi que nous fassions, *Stepping Forward* (10-16) crée un choc émotionnel durable. Pour la majorité des gens, le symbole politique s'affirme avec plus d'évidence que la conception esthétique comme la préoccupation première de l'artiste.

Cela varie, bien sûr, selon le contexte. Mais, de manière générale, le sentiment éprouvé après un certain temps d'observation, nous invite à la réflectivité sans s'enfermer dans la conscience de soi. Avec les sculptures de Beaumont, on réalise que notre perception innée du monde relève de la nature de notre Être intérieur. D'un point de vue esthétique, *Stepping Forward* est un signe plus qu'un symbole. Il montre la conscience humaine au cœur de la confusion engendrée par le conflit global, la guerre, la paranoïa, la faim, l'abus, la souffrance, la maladie ou la joie soudaine – tout ce vaste univers des événements transitoires qui embrassent notre réalité présente. J'y reviendrai plus tard.

What makes Hanneke Beaumont's figures appear "universal" is their openly intuitive, uncalculated immediacy. Her sculpture is less analytical than the Minimal or Conceptual art of the sixties, and more given to the emotions, to the slightest nuances that are not always so evident in three-dimensional art, especially in recent years. At a time when too many artists and too much sculpture, bereft of clarity and quality, have come to replace the craft in art with a mindless array of vapidly destructive, adolescent installations, weakly symptomatic of ideological struggles, sexual battlegrounds, identity politics, and media-generated, narcissistic politics, all conforming to their particular brand of "anti-aesthetic" theoretical validation, all promoting uninspired careers with insipid second-rate "projects" – in such an environment, it is comforting to know that a sculptor such as Hanneke Beaumont is also at work on the international scene. She has become a world-class artist, whose message is neither despair nor cynicism, but who offers a fresh view of intimate reality as a challenge to the faltering new world order.

Beaumont's message is not overtly political, nor does it try to be. Rather her sculpture expresses the human being in another way – not merely the figure as form, but the figure as a signifier of mind and body. Put another way, she represents the cause of human beings in their struggle to evolve thought into feeling and, concomitantly, to discover feeling through thought.

28. TERRACOTTA # 26, 1995
Detail

27. BRONZE # 35, 1998
Detail

C'est l'immédiateté intuitive et spontanée qui fait des sculptures de Hanneke Beaumont des figures « universelles ». Sa sculpture est moins analytique que l'art minimal ou conceptuel des années 1960, plus encline aux émotions, aux infimes nuances parfois peu perceptibles dans l'art en trois dimensions – surtout ces dernières années. Quand trop d'artistes et trop de sculptures, manquant de rigueur et de singularité, en viennent à substituer au métier une batterie gratuite d'installations aussi destructrices qu'adolescentes, faiblement symptomatique des luttes idéologiques, des antagonismes sexuels, des politiques identitaires et autres politiques narcissiques générées par les médias, quand chacune reste assujettie à son mode particulier de validation théorique « anti-esthétique » promouvant autant de carrières mal inspirées et de « projets » médiocres et insipides – on comprend que, dans un tel environnement, la présence de Hanneke Beaumont sur la scène internationale puisse rassurer. Artiste d'envergure internationale, elle offre un regard neuf, sans désespoir ni cynisme, sur notre réalité intime, défiant ainsi le nouvel ordre mondial chancelant.

Le message de Beaumont n'est pas, et ne se veut pas, ouvertement politique. Ses sculptures représentent autrement l'être humain ; les figures ne sont pas simplement formes mais signifiants de l'esprit et du corps. L'artiste représente, en somme, l'humanité luttant pour faire de la pensée un sentiment et pour découvrir, simultanément, le sentiment au travers de la pensée.

To confront her work opens the threshold of art to the human presence as a contained, amalgamated thought and feeling process, an internal sharing and social process, a biological phenomenon with a human capability, that exposes the potential of ordinary people to become gift-bearers and recipients of what is unconditional, unreserved, and unrepentant as we experience the world together and through one another.

To raise the question of art as an expression of Modernity may further incite other important questions with regard to the fields on the periphery of the social sciences, including mysticism, hermeneutics, multiculturalism, and globalization. While these areas of inquiry are scarcely considered in terms of their emotional content, there is little doubt they have impacted, if not revolutionized, the way we think about art today. The general view of contemporary art, as often expressed in commercial news media, offers cynicism instead of criticism, opacity instead of clarity, anecdotes instead of emotional depth. It has challenged, if not eroded, "the aesthetic experience" in favor of "visual culture," which submerges art in a pool of categories, the academy in the popular culture, which includes fashion, entertainment, and media studies. As art has expanded its social, material, and conceptual base, so have aesthetics – perhaps more in terms of economics and market investment than on any meaningful philosophical level. Some art critics insist that the way we receive art is a necessary completion to the work of art itself.

29. "STEPPING FORWARD", 2006
    Detail

Se confronter à ses œuvres, c'est accueillir au seuil de l'art la présence humaine comme processus imbriquant pensée et sentiment, partage interne et processus social, phénomène biologique à dimension humaine et susceptible de dévoiler le potentiel des êtres ordinaires à faire don et à s'ouvrir à l'inconditionnel, à l'effusion, à l'impénitent, tandis que nous faisons l'expérience du monde à la fois ensemble et les uns au travers des autres.

Poser la question de l'art comme expression de la modernité sous-entend également questionner les domaines périphériques des sciences sociales que sont le mysticisme, l'herméneutique, le multiculturalisme et la globalisation. Si ces champs d'investigation sont rarement envisagés en terme de charge émotionnelle, il y a peu de doute qu'ils aient influencé, sinon révolutionné, notre manière de penser l'art aujourd'hui. Le point de vue général sur l'art contemporain, tel qu'il s'exprime généralement dans les médias grand public, est plus cynique que critique, plus opaque que pénétrant, émotionnellement plus anecdotique que profond. Il brocarde, sinon érode, « l'expérience esthétique » au profit de la « culture visuelle », submergeant l'art d'une mer de catégories, les beaux-arts de culture populaire, de mode, de divertissement et d'études médiatiques. L'art élargit sa base conceptuelle, matérielle et sociale et l'esthétique lui emboîte le pas, plus en termes d'investissement économique et de marché qu'en termes philosophiques significatifs.

The artist Marcel Duchamp stated this at a talk given in Houston in 1957, and since then, it has entered fearlessly and ferociously into the jargon of academic writing. The point is that feelings in art have been so acutely displaced from criticism that it has thrown both the discourse of aesthetics and the marketing of art into a crisis. When there is no language by which to communicate how we feel about art, there is no reason to talk about it other than on the level of an investment at a dinner party.

In a previous short essay for an exhibition of Beaumont's in New York, I raised the issue of the artist's work in relation to an influential essay, entitled "Sculpture in the Expanded Field," by the distinguished American scholar and art critic, Rosalind Krauss (published in *The Originality of the Avantgarde and Other Modernist Myths*, Cambridge, Massachusetts: MIT Press, 1985). Given that the essay was written in 1979, the seventies in America is the time and the place to which this essay essentially refers. From an American perspective, the decade of the seventies was the time that Postminimalism evolved in the wake of Minimal art as a moment when various permutations, including "Earth art" and "Site Specific sculpture," were considered by many art historians and critics as the most advanced position in sculpture at the time. Through a clear and concise analysis of her historical references, Professor Krauss argues that the era of the autonomous "self-referential" object in sculpture is essentially finished. This would, of course, include most figurative sculpture.

30. BRONZE # 55, 1999
Detail

Certains critiques d'art soutiennent que notre perception de l'œuvre est un achèvement nécessaire à l'œuvre même. C'est ce qu'affirma l'artiste Marcel Duchamp lors d'une conférence donnée à Houston en 1957. Depuis lors, cette réflexion a résolument et impitoyablement envahi le jargon des écrits universitaires. Le fait est que les sentiments en art ont été radicalement évincés de la critique, provoquant la crise du discours de l'esthétique autant que du marché de l'art. Une fois perdu le langage permettant l'expression de nos sentiments par rapport à l'art, ne demeure que celui, financier, prisé dans les dîners mondains, des placements et investissements.

Dans un précédent essai, écrit à l'occasion d'une exposition de Beaumont à New York, j'avais soulevé la question de l'œuvre de l'artiste par rapport à un écrit décisif de l'Américaine Rosalind Krauss, universitaire et critique d'art distinguée, intitulé « La Sculpture dans le champ élargi » et publié dans *L'Originalité de l'avant-garde et autres mythes* (Paris, Macula, 1993). Ecrit en 1979, l'essai se réfère essentiellement aux États-Unis et à la période des années soixante-dix. D'un point de vue américain, les années 1970 sont marquées par le développement du postminimalisme dans le sillage de l'art minimal ; c'est l'époque où nombre d'historiens de l'art et de critiques considèrent les innovations comme le Land Art et la sculpture liée au lieu comme les positions les plus avancées en la matière.

32. "SEARCHING FOR BALANCE",
BRONZE # 76, 2005

33 × 34,5 × 25 cm

33. PLASTER MODEL OF "TELEMONE" # 04, 2003
20,5 × 36,5 × 67 cm

Double page suivante - Next spread:

34. "TELEMONES" # 04, 2003

Bronze on iron support, each: 20,5 × 36,5 × 67 cm

35. "TELEMONE" # 01, 2004
Cast iron, 65 × 24,5 × 22 cm

Ci-dessus et double page suivante - Above and next spread:

36-37. "TELEMONES" # 01, 02, AND 03,
PROJECT FOR LARGE-SCALE COMPOSITION, 2004

Cast bronze, H. 65 cm

38. BRONZE # 72, 2005

50 × 34 × 34 cm

39-40. TERRACOTTA # 72, 2005

50 × 34 × 34 cm

41. "L'ENNUI",
BRONZE # 73, 2005

Detail

42. DRAWING STUDY OF BRONZE # 68, 2004

Mixed media on paper, 78 × 62 cm

43. "L'ENNUI", BRONZE # 73, 2005

H. 300 cm

44. DRAWING STUDY OF BRONZE # 68, 2004
Mixed media on paper, 65 × 50 cm

45, 46. "L'ENNUI", BRONZE # 73, 2005

H. 300 cm

It has been replaced by a spatial context that extends laterally through time in the form of environmental "site-constructions." This implies that objects or monuments, formerly identified as sculpture, are essentially relegated to the past. The new terrain of sculpture, according to Krauss, is the perceptual space of the ground plane or the shifting anonymous territory of the installation. Clearly, her arguments encapsulate the kinds of reductive indices that had been chronicled in prestigious New York art magazines since the mid-sixties. But unfortunately no one could have predicted the political and cultural "rupture" that occurred in New York at the outset of the twenty-first century that would alter this point of view.

It is not beyond reason to suggest that the tragic incident known as 9-11, in which terrorists bombed the World Trade Center in New York, abruptly and unexpectedly altered the direction of the art world. Instead of widening applications of theory to experimental art, the tendency was for theory to contract, giving emphasis on the body, to protect the body in the form of a psychological defense. But such historical events do not always appear obvious in the work of artists, and it would be wrong to assume that they do. Influences may occur not by way of a direct encounter, but through avoidance tactics or through some incidental or obsessive pursuit that moves in another direction. By ignoring the scope of the tragedy, some artists in New York withdrew into a state of lethargy as a result of the shock. (Many had to be evacuated from their studios in lower Manhattan for several months.) Others became temporarily energized through a sublimation of internal conflict. Either response could be traced to feelings of the trauma induced by an inability to conceive or to process the impact of the violence that occurred around them.

Par une analyse concise et claire de ses références historiques, le professeur Krauss argue que le temps de l'objet autonome « auto-référentiel » en sculpture – incluant bien sûr la presque totalité de la sculpture figurative – est révolu. Objets et monuments anciennement identifiés comme de la sculpture se trouvent relégués au passé et remplacés par un environnement spatial qui se déploie latéralement dans le temps, sous forme de « constructions de site » environnementales. Le nouveau terrain de la sculpture serait, selon Krauss, l'espace perceptif du plan au sol, le territoire anonyme et changeant de l'installation. Ses arguments relèvent clairement des analyses réductrices, dont les prestigieux magazines d'art new-yorkais se font l'écho depuis le milieu des années 1960. Malheureusement, personne n'aurait pu alors prévoir la « rupture » culturelle et politique qui, à New York à l'aube du vingt-et-unième siècle, devait radicalement modifier ce point de vue.

Il n'est pas absurde de suggérer que l'événement tragique connu sous le nom de 11-Septembre, date de l'attaque terroriste du World Trade Center de New York, a modifié de manière abrupte et inattendue les orientations du monde de l'art. Plutôt que d'étendre les applications théoriques à l'art expérimental, la tendance a été de restreindre la théorie, conférant une importance au corps, le protégeant d'une armure psychologique. Mais de tels soubresauts historiques ne se traduisent pas toujours clairement dans l'œuvre des artistes, et il serait erroné de le supposer. Les influences peuvent intervenir, non par une approche directe, mais par des tactiques d'évitement ou à l'occasion d'une recherche fortuite ou obsessionnelle suivant un autre cours. En ignorant l'étendue de la tragédie, certains artistes new-yorkais se sont, suite au choc, retranchés dans un état léthargique (nombreux sont ceux qui ont dû être évacués pendant plusieurs mois de leur atelier du Lower Manhattan). D'autres se sont trouvés momentanément revigorés par la sublimation de ce conflit intérieur. Chacune de ces réponses pourrait être imputée aux conséquences du traumatisme, induites par l'incapacité à concevoir

In such an environment, where the lingering affect of turmoil and morass seeps into the social fabric, such trauma would inadvertently bring the representation of the body into sharp focus. This might occur in one of two ways: either in the form of representing the body through traditional forms of figuration re-encoded by way of symbolism or ideology, or by presenting actual living bodies in a politicized space, as in the "body art" of Marina Abramovic, or in the choreography of nude bodies by the Chinese sculptor Zhang Huan. Although both artists come from outside the United States, they lived and worked for a significant time in New York and thus had a certain influence on younger emerging artists.

Beaumont informed me that two of her works, *Bronze # 59* (50, 51) and *Bronze # 60* (50), were both completed just prior to the 9-11 tragedy. In the first sculpture the figure is on its knees bending forward with its arms stretched forward as if trying to negotiate a stabile foundation. Instead of a foundation, there is only space, an atmosphere of nothingness. In the second, a walking figure cautiously steps forward into the same empty space. (In the latter case, this is the same figure that would later be used as the prototype for the large bronze situated in front of the EU building in Brussels.) Beaumont's point is that even though these two bronzes were completed prior to 9-11, they somehow signify the *Zeitgeist* of the times – the chaos, fear, and insecurity that hovered in the air. While some might choose to interpret these works as a kind of prophetic statement, it is more likely the result of the artist's intuitive grasp and heightened sensory awareness of the conflicts present in the world at that moment. Nonetheless one cannot ignore the uncanny resemblance of the expressive focus in these works to the emotions of those who suffered during that passage in history. In this sense, *Bronze # 59* and *Bronze # 60* bring a mythic charge to the art of that moment, and thus command a certain presence within that resolute absence.

50. BRONZES # 59 AND # 60, 2001
59: 38 × 28 × 51 cm
60: 85 × 35 × 40 cm

ou à prendre en compte l'impact de la violence qui s'est déchaînée autour d'eux.

Dans un tel environnement, où les répercussions émotionnelles durables du choc et de la confusion s'infiltrent dans le tissu social, le traumatisme place incidemment la représentation du corps sur le devant de la scène. Et ce, de deux manières : soit par une représentation du corps au travers de formes traditionnelles de figuration réencodées symboliquement ou idéologiquement, soit par la présentation de véritables corps vivants dans un espace politisé, comme dans le « body art » de Marina Abramovic, ou dans les corps nus chorégraphiés du sculpteur chinois Zhang Huan. Si ces deux artistes ne sont pas originaires des États-Unis, ils ont vécu et travaillé à New York suffisamment longtemps pour avoir très certainement influencé les jeunes artistes émergents.

Bronze # 59 (50, 51) et *Bronze # 60* (50), me confiait Hanneke Beaumont, ont été achevés juste avant la tragédie du 11-Septembre. Dans le premier, la figure agenouillée et penchée les bras en avant semble en quête d'une base solide. En lieu et place, elle se trouve confrontée à l'espace et au néant. Dans le second, une figure marche précautionneusement, pointant le pied en direction de ce même vide. (C'est cette figure qui devait être utilisée plus tard comme prototype pour le grand bronze installé devant le bâtiment de l'UE à Bruxelles.) Pour avoir été achevés avant le 11-Septembre, ces deux bronzes manifestent pourtant une forme de *Zeitgeist* exprimant le chaos, la peur et l'insécurité qui imprègnent l'époque actuelle. Certains seront tentés d'interpréter ces œuvres comme une sorte de prophétie, mais il est plus probable qu'elles relèvent de l'appréhension intuitive par l'artiste et de sa conscience pénétrante des conflits mondiaux de l'époque. On ne peut toutefois ignorer la ressemblance troublante entre l'intensité expressive de ces œuvres et les émotions de ceux qui ont souffert durant cet épisode de l'histoire. En ce sens, *Bronze # 59* et *Bronze # 60* apportent une charge mythique à l'art du moment, et affirment ainsi une certaine présence au cœur de l'absence.

51. BRONZE # 59, 2001

38 × 28 × 51 cm

52. DRAWING STUDY OF BRONZE # 59, 2004

Mixed media on paper, 70 × 50 cm

53. TERRACOTTA # 68,
2004
67,5 × 24,5 × 19,5 cm

54. BRONZE # 68,
2004
67,5 × 24,5 × 19,5 cm

58-59. BRONZE # 79, 2006

22 × 29 × 24 cm

60. BRONZE # 65, 2003

Detail

61. TERRACOTTA # 65, 2003

125 × 88 × 122 cm

62. BRONZE # 65, 2003
125 × 88 × 122 cm

63. TERRACOTTA # 64, 2003

Detail

64. CAST IRON # 63, 2001
170 × 142 × 62 cm

65. BRONZE # 63, 2001
170 × 142 × 62 cm

66-67. CAST IRON # 61, 2001

255 × 57 × 55 cm

68-69. PROJECTS FOR MONUMENTAL IRON
AND CORTEN STEEL SCULPTURES, 1998-2000

93 × 106 cm
89 × 70 cm

corten steel
combined
with elements
semi figuration
abstract in
cast iron
10/98

Double page précédente, ci-dessus et pages suivantes
- Previous, above and following pages:

70-74. "INTERACTION AND SELF-PROTECTION", 2001

Bronze and Corten steel, 600 × 300 × 100 cm

I offer this perspective as a means to suggest why I believe the figure in art has been recontextualized in recent years. This may have little to do with Hanneke Beaumont's intentions, but it could have something to do with the new role that figurative representation will play in the twenty-first century. Anxiety and fear may be considered irrational by some, but there is good reason to suggest that these symptoms are somewhat embedded within the human psyche today and that they have a very real reason for being there. I would suggest that this overall condition contributes to a new form of existentialism that may relate to Beaumont's sculpture. This is not to presume an intention as much as to serve a means of critical reception. It does nothing to deny the extraordinary and original sensitivity that one may equate with Beaumont's work. If anything, it does precisely the opposite by making a diversity of critical responses possible.

Beaumont works with permanent materials from a classical perspective. Her work is about capturing the likeness of a figure through a subtle, though disquieting expressionist means. Beaumont does not make direct use of models in the process of conceiving or drawing the figure, the implication being that she works largely from memory or through recognition of what she knows the body as a cognitive and sensory organism. Her highly focused, yet reduced gesture and facial expressions play a dramatic role in transmitting intervals of time in which the figure recognizes itself in relation to unpredictable circumstances that seem to govern the surrounding space. In *Bronze # 73* (41, 43, 45, 46), entitled *L'Ennui*, a seated personage leans to one side scanning the space below the steel vertical pedestal on which he is perched. The height of this sculpture is three and a half meters from the ground plane, and thus isolated from the everyday world.

75. BRONZE # 83, 2007
29,5 × 46 × 27 cm

Cette hypothèse me permet de pointer les raisons possibles de la recontextualisation, ces dernières années, de la figure en art. Cela a peut-être moins à voir avec les intentions de Hanneke Beaumont, qu'avec le rôle inédit que jouera la représentation figurative au vingt-et-unième siècle. Si certains considèrent comme irrationnelles l'angoisse et la peur, je suis tenté de croire que ces symptômes sont en quelque sorte gravés dans la psyché humaine contemporaine, et ce à raison. J'aimerais suggérer que cette atmosphère générale contribue à une forme nouvelle d'existentialisme qui fait écho à la sculpture de Beaumont – cela non pas tant pour présumer d'une intention que pour servir de forme de réception critique. Loin de nier la sensibilité extraordinaire de l'œuvre de Beaumont, cette hypothèse permet au contraire d'ouvrir à une multiplicité de réponses critiques possibles.

Beaumont travaille avec des matériaux durables à partir d'une perspective classique. Son œuvre s'attache à capturer la figure par des moyens expressionnistes subtils, quoique troublants. Elle ne travaille pas directement en présence de modèles pour la conception ou le dessin de la figure, mais largement de mémoire et par reconnaissance de ce qu'elle sait du corps comme organisme cognitif et sensoriel. Les gestes et expressions faciales, extrêmement précis quoique minimaux, jouent un rôle dramatique dans la représentation de ces interstices temporels, où la figure se découvre liée aux circonstances imprévisibles qui gouvernent l'espace environnant. Dans *Bronze # 73* (41, 43, 45, 56), intitulé *L'Ennui*, un personnage assis se penche, scrutant l'espace sous le piédestal vertical en acier sur lequel il est juché.

But the isolation is not heroic in the sense of the generals, barons, princes, and rulers of the late Renaissance or early Baroque eras. Rather the isolation is an unheroic omen, a mythic omen of ordinariness that overtly contradicts itself. While posing as a monument, the figure deflates or conflates its position, raising the seemingly absurd question as to how one might escape being ordinary in the technocracies of the twenty-first century. While not every figure can be read in the same way, it is difficult for a viewer not to be affected by the work, even if the affect goes unrealized on a conscious level.

The monumental public sculpture, entitled *Interaction and Self-Protection* (70, 74, 111), cited earlier, clearly expresses the socio-psychological trauma induced globally at the outset of the twenty-first century, and therefore, there is more to say about it. In this work, perhaps more than any other, Beaumont has captured the omniscient fear and trauma that appears to have gripped the world in recent years. Her sculpture reveals a precarious situation whereby the figure is confronted by its own mortality. *Interaction and Self-Protection* offers a curious, almost mannerist collusion of form – using cast bronze in relation to welded beams and the welded steel platform on which her personage is situated, well above the traffic encircling it below. The sculpture is one of the most startling and complete in Beaumont's career to date. It stands on its own and does not illustrate anything other than the intense dramatic incidence that it portrays. The figure is isolated, alienated from the activities and from the crowds. Trapped in a space peering out at his options, he is in a situation from which there is little he can do. The existential moment is very much held within the present tense.

76. CAST IRON # 62, 2002-2003
178 × 35,5 × 59 cm (on base)

Cette sculpture s'élève à trois mètres et demi du sol, isolant la figure du monde quotidien. Mais cet isolement n'est pas celui, héroïque, des généraux, barons, princes et dirigeants de la fin de la Renaissance ou du début du Baroque. Il s'agit plutôt d'un augure sans gloire, augure mythique de l'ordinaire, ouvertement contradictoire. Tout en se constituant monument, la figure se rassemble, posant la question apparemment absurde de savoir comment échapper, dans les technocraties du vingt-et-unième siècle, à l'ordinaire de l'être. Si chaque figure reste singulière, le spectateur peut difficilement éviter d'être, même inconsciemment, affecté par l'œuvre.

La sculpture publique monumentale *Interaction and Self-Protection* (70, 74, 111) exprime clairement le traumatisme socio-psychologique global provoqué à l'aube du vingt-et-unième siècle, et l'on s'y arrêtera donc plus longuement. Peut-être plus que dans toute autre œuvre, Beaumont saisit la peur et le traumatisme qui semblent s'être emparés du monde dans son ensemble. Elle dit la vulnérabilité de la figure confrontée à sa propre mortalité. *Interaction and Self-Protection* propose une collusion de formes étrange, presque maniériste par son utilisation de l'acier pour les poutres et la plateforme soudée sur laquelle est juché son personnage, qui domine l'agitation en contrebas. Cette sculpture est l'une des plus étonnantes et des plus abouties de Hanneke Beaumont à ce jour. Elle persiste, et ne figure rien d'autre que l'intense incidence dramatique. Isolé, étranger à l'activité et à la foule, coincé dans l'espace et sondant les alternatives, le personnage est placé face à son impuissance, en un moment existentiel profondément ancré dans le temps présent.

77. COMPOSITION # 45, 2000
Cast iron,
166 × 200 × 65 cm (on base)

79. BRONZE # 45, 1999

54 × 54 × 68 cm

Double page précédente - Previous spread:

82. CAST IRON # 47, 2000

180 × 40 × 50 cm (on base)

Cast iron detail

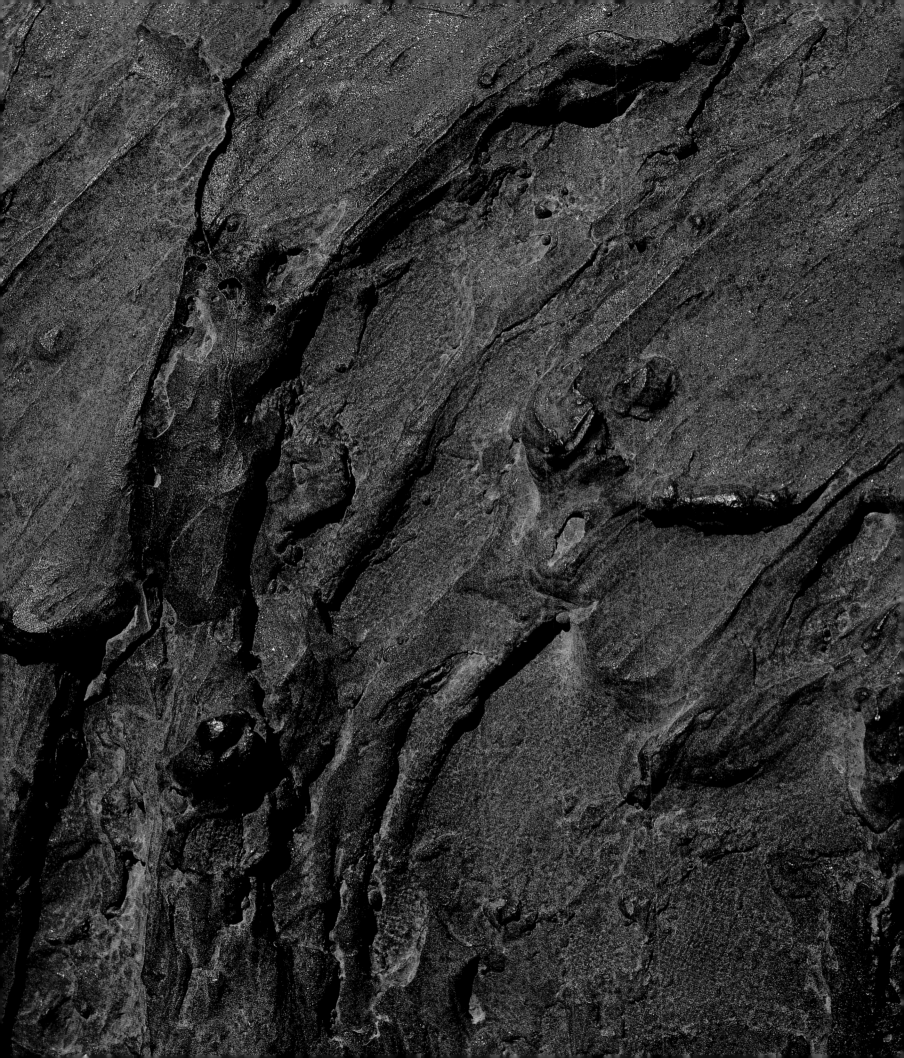

83. BRONZE # 54, 2000

52 × 60 × 80 cm

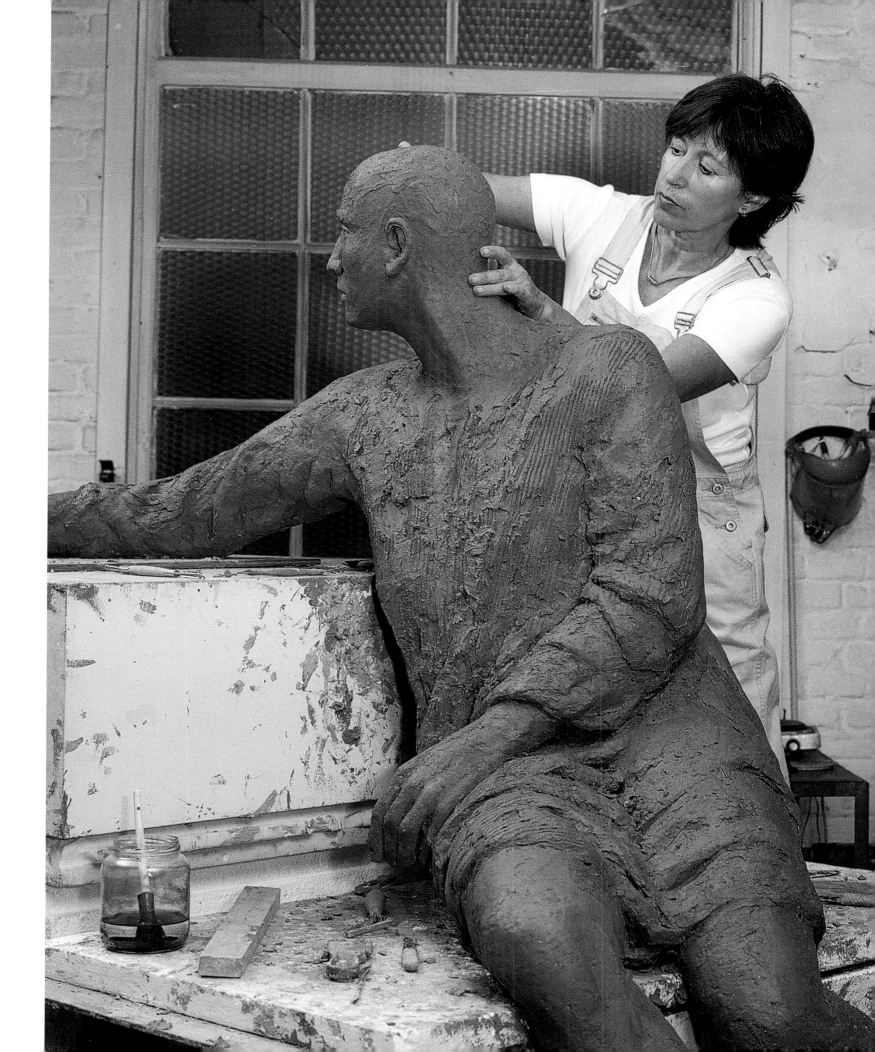

84. BRONZES # 56, 2000
145 × 90 × 200 cm (each)

MELANCHOLIA
MÉLANCOLIE

Hanneke Beaumont's sculptures represent solitude. Given their astute formal acuity and lyrical tension, they are ultimately concerned with individual feelings of isolation, reflection, and the search for a holistic sense of self. They are not concerned with the monumental. Nor are they particularly given to the conformist pressures of everyday life. They infuse the figure with the structure of the space around them. Their formal contiguity is purposeful and real. They suggest a phenomenological excursion into the existential reality of everyday time and space. It is this mature vision of the figure that aligns Beaumont with other visionaries of figurative sculpture in the Modernist era – from Lehmbruck to Reg Butler, from Giacometti to Kathe Kollwitz. Like these artists, Beaumont delves deeply into the soul of the sensory persona, the subjective being, that has become the object of Beaumont's recent work.

Les sculptures de Hanneke Beaumont parlent de solitude. De par la pertinence de leur acuité formelle, de par leur tension lyrique, elles s'attachent en définitive aux sentiments intimes d'isolement, de réflexion et de quête d'un sens holistique de soi. Elles ne s'intéressent pas à la monumentalité. Et ne sont pas particulièrement enclines aux pressions conformistes de la vie quotidienne. Elles insufflent à la figure la structure de l'espace qui l'entoure. Leur contiguïté formelle est volontaire et réelle. Elles invitent à une excursion phénoménologique dans la réalité existentielle du temps et de l'espace quotidiens. C'est cette vision aboutie de la figure qui élève Beaumont au rang des visionnaires de la sculpture figurative de l'ère moderniste – comme Lehmbruck ou Reg Butler, Giacometti ou Kathe Kollwitz. À l'image de ces artistes, Beaumont sonde en profondeur l'âme de la personne sensorielle, l'être subjectif, au centre de son travail récent.

85. INSTALLATION "MELANCHOLIA II",
BRONZE # 55, 2000

140

250 × 85 × 200 cm (sculpture on base)
85 × 85 × 140 cm (iron frame on base)

86. BRONZE # 55, 2000

130 × 64 × 108 cm

What Beaumont strives to achieve in her three-dimensional figures is a kind of poetic license that relinquishes itself without projecting despair. This articulation gives her work a heroic stature, a stature that is a not only rare in contemporary postmodern sculpture, but also original. The *Melancholia* series (1, 87, 88) is clearly set in the direction of longing. One might argue that the kind of longing portrayed in works such as *Bronze # 48* and *Cast Iron # 48* – two figures placed in a complementary relationship to one another – is not only unabashed but totally outside the pervasive irony that encompasses so much figurative representation in recent years. Yet the kind of aesthetic distance seen in Beaumont's work can only be achieved in artists who truly understand their personal vision of the world and who see themselves in relation to others.

Dans ses figures en trois dimensions, Beaumont s'efforce d'atteindre à une forme de licence poétique qui se livre sans propager de désespoir. Cette combinaison donne à son œuvre une stature héroïque, non seulement rare, mais également originale dans la sculpture moderne. La série *Melancholia* (1, 87, 88) est clairement tournée vers la nostalgie. On pourrait objecter que la forme de nostalgie représentée dans des œuvres comme *Bronze # 48* et *Cast Iron # 48* – deux figures agencées de manière à suggérer une relation de complémentarité – n'est pas seulement impudente, mais très éloignée de l'ironie omniprésente dans tant de représentations figuratives ces dernières années. Mais seuls des artistes ayant une compréhension véritable de leur vision personnelle du monde, et qui s'envisagent en relation avec les autres peuvent atteindre à la forme de distance esthétique que l'on trouve dans l'œuvre de Beaumont.

Each designation of movement, every exaggeration of shape, is about the creative act –a metaphor of the kind of work in which she is engaged. Her grasp of the moment and the transmission of feeling between the arrangement of figures in a work such as *Le Courage*, 1994 (107-109, 112, 113) – composed of a single terracotta figure in relation to three figures poised on large steel plates – implies the fundamental axis between the formal and expressive language of sculpture. In a similar way, her *Melancholia* series offers a similar glimpse of the self that necessarily includes realities of love, of loss, of anguish, and forlorn desire.

While we may confront these feelings or even deny them on some occasions, there are few artists capable of bringing the language of form into focus and who give us the sense of relinquishment required in coming to terms with the endurance of the self.

Chaque définition du mouvement, chaque exagération de forme touchent à l'acte créatif, métaphore de la nature du travail dans lequel Beaumont est engagée. Son appréhension du moment et la transmission des sentiments dans l'arrangement des figures d'une œuvre comme *Le Courage*, 1994 (107-109, 112, 113) – composée d'une figure solitaire de terre cuite face à trois autres disposées sur de larges plateaux d'acier – impliquent un axe fondamental entre le langage expressif et formel de la sculpture. Sa série *Melancholia* offre un aperçu similaire sur le soi, englobant nécessairement les réalités que sont l'amour, la perte, l'angoisse et le désir malheureux.

Si nous sommes parfois confrontés à ces sentiments, si nous les nions parfois, rares sont les artistes en mesure de s'attacher au langage formel et de nous transmettre la sensation d'abandon requise pour assumer la résistance du soi.

Ci-contre et pages suivantes - Opposite and following pages:

87-89. INSTALLATION "MELANCHOLIA I",
    BRONZE & CAST IRON # 48, 2000

    310 × 64 × 210 cm (bronze on base)
    280 × 95 × 210 cm (cast iron on base)

This is precisely the message I glean from these sculptures and the message that I believe they offer in a world given over to the fragmentation of the self. Although they reveal a tragic view of life, Beaumont's sculpture also gives us the courage to go elsewhere and to be someone – without shame or regret.

What I find so astounding and unrepentant in the sculpture of Hanneke Beaumont is how these sentiments assume their own reality in the face of solitude. It is as if she is unraveling the mysteries of life through the apotheosis of the creative process. This is what makes her work heroic in the most refined sense. Her sculptures are possessed by feelings that artists associated with the recent avant-garde have not dared to tell. Beaumont resolutely stands apart and daringly touches the pulse of a moment caught within time.

88. BRONZE # 48, 2000. Detail

C'est précisément le message que je recueille dans ces sculptures et celui qu'elles me semblent délivrer dans un monde soumis à la fragmentation du soi. Si elles proposent une vision tragique de la vie, les sculptures de Beaumont nous donnent aussi le courage de partir ailleurs et d'être quelqu'un – sans honte ni regret.

Je trouve à la fois stupéfiante et généreuse la manière dont, dans la sculpture de Hanneke Beaumont, ces sentiments présument de leur propre réalité face à la solitude. Comme si Beaumont démêlait les mystères de la vie dans l'apothéose du processus créatif. C'est ce qui fait de son œuvre une œuvre héroïque au sens le plus pur. Ses sculptures sont possédées de sentiments que n'ont pas osé dire les artistes liés aux récentes avant-gardes. Beaumont se situe définitivement à part, et touche audacieusement au frémissement d'un moment pris dans le temps.

Double page suivante - Following spread:

91. BRONZE # 51, 1999

77 × 72 × 54 cm

90. DRAWING STUDY OF BRONZE # 51, 1998

Mixed media on paper, 125 × 96 cm

92. BRONZE # 39, 1999
    100 × 80 × 170 cm

93. TERRACOTTA # 39, 1998
    100 × 80 × 170 cm

Terracotta detail

94. INSTALLATION "LE DÉPART", 1998

300 × 420 × 125 cm (steel base)
Brussels National Airport, Zaventem

95. "LE DÉPART",
BRONZES # 35, 1997
220 × 178 × 102 cm
(steel base)

96. DRAWING STUDY
OF BRONZE # 35, 1997
Mixed media on paper,
75 × 54 cm

97. DRAWING # 7, 1997
Mixed media on paper, 53 × 73 cm

98. TERRACOTTA # 36, 1997

70 × 50 × 120 cm

99. TERRACOTTAS # 40 AND # 41, 1998
175 × 90 × 85 cm each (on iron base)

100. TERRACOTTA RELIEF
ON METAL SHEET, 1997
200 × 150 cm

101. BRONZE # 32, 1996
310 × 230 × 50 cm (on iron base)

Double page précédente - Previous spread:

102. TERRACOTTAS # 27 AND # 29, 1996

   # 27: 40 × 200 × 90 cm
   # 29: 90 × 85 × 130 cm

103. TERRACOTTA # 29, 1996

Detail

104. TERRACOTTA # 26, 1995
92 × 125 × 125 cm

105. TERRACOTTA # 25, 1995
95 × 100 × 78 cm. Detail

106. BRONZE # 25, 1995
95 × 100 × 78 cm (on Corten steel base)

*Ci-contre et pages suivantes
- Opposite and following pages:*

107, 108. INSTALLATION "LE COURAGE", 1994

Three lifesize figures on Corten steel bases

109. INSTALLATION "LE COURAGE", 1994

Bronzes on steel bases

110. "LE COURAGE",
BRONZE # 21, 1998

300 × 90 × 100 cm (on base)
Erasmus Hospital, Brussels

Beaumont is not working entirely in isolation in terms of these concerns. I would refer to other sculptors working more or less in a similar direction – not according to a specific form or formalist style – but in relation to another kind of internalized psychological reality that is perhaps more in keeping with the times. As with some of the artists mentioned earlier in this essay, they share a certain approach to content. This approach has philosophical underpinnings – perhaps as much ontological as psychological, both of which are embraced by the new existentialism. I would include figurative works by the Korean sculptor Do Ho Suh, the bronze figures by Zvika Lachman in Tel-Aviv, the droll characters constructed by late Spanish sculptor Juan Muñoz, and the repeated figurations of Antony Gormley. These artists, including Beaumont, have worked with the figure for many years and in vastly different ways. In terms of material and concept, they are different from one another, but in terms a relationship of their use of the figurative impulse, they are somehow obliquely related to Beaumont. They are artists whose work occupies a similar historical trajectory, through the revival of expressive representative in the figure. They each carry a similar cognitive affinity, in spite of vast cultural and specific intentional differences.

Hanneke Beaumont's public installations, including *Interaction and Self-Protection* (70-74) and *Stepping Forward* (29, 121, 125), are examples of where the figure projects itself as a visual (symbolic) expression within the public space of architecture. One may speculate that these works require an architectural context as a necessary stage in order for the drama to occur.

Beaumont n'est pas seule à s'arrêter à ces questions. Je pense à d'autres sculpteurs qui travaillent non pas en une quête formelle spécifique ou de style formaliste, mais à la recherche de l'expression d'une réalité psychologique intériorisée plus conforme, peut-être, à notre époque. Comme certains des artistes mentionnés précédemment, ils partagent une certaine approche du contenu, dont les fondements philosophiques, ontologiques et psychologiques définissent un nouvel existentialisme. J'évoquerai les œuvres figuratives du sculpteur coréen Do Ho Suh, les figures de bronze de Zvika Lachman à Tel-Aviv, les drôles de personnages du sculpteur espagnol, feu Juan Muñoz, et ceux, dupliqués, d'Antony Gormley. Comme Beaumont, ces artistes travaillent la figure depuis des années, et de manières extrêmement variées. Mais s'ils diffèrent les uns des autres dans leur approche du matériau et de la conception, tous sont indirectement liés à Beaumont par la relation qu'ils entretiennent avec l'impulsion figurative. Par leur réinvestissement de la représentation expressive dans la figure, leurs œuvres occupent une trajectoire historique similaire et, en dépit de leurs grandes singularités culturelles et intentionnelles, possèdent une sensibilité cognitive voisine.

Comme *Interaction and Self-protection* (70-74) ou *Stepping Forward* (29, 121, 125), les installations publiques de Hanneke Beaumont définissent des lieux où la figure se projette comme expression visuelle (symbolique) au sein de l'espace public architectural. On pourrait suggérer que l'œuvre exige ce cadre architectural comme scène de déroulement du drame.

Beaumont has persistently used iron and steel tables, platforms, benches, beams, cubes, and conflated shapes, molded from twisted planes of terracotta, in her work. This suggests a relationship between her figures and architectonics. In *Le Courage*, 1994 (110), installed at the main entrance of the Erasmus Hospital in Brussels, a single bronze figure confronts the surrounding architectural space of the lobby. The dramaturgical space operates as a kind of syntax within the architecture, thus allowing the figure on the high steel pedestal, mysteriously holding a rectalinear element, to express an open-ended meaning as visitors enter to and from the hospital.

In the complete version of *Le Courage* (112, 113) installed in the city of Santa Cruz of Teneriffe on the Rambla next to works by other sculptors, such as Henry Moore and Fernando Botero, an ensemble of three bronze figures is placed on a welded steel horizontal platform that confronts the single figure, which is, in turn, placed on its high vertical pedestal. In the space between the two parts of the sculpture is a transitional link in which bronze slabs are piled against one another, suggesting a construction in process. By distancing the manner in which each figure's gaze is articulated, Beaumont avoids sentimentality, and instead emphasizes the architectonic metaphor of some unknown structure in the process of being built. Here the gaze of each of the three figures is turned in its own direction To transmit a conflicted feeling of anxiety and hope – as this installation does – the artist had to coordinate the figures and properties with the existing architectural parameters on the Rambla to ensure sufficient space for the mobility of visitors moving through the space.

111. "INTERACTION AND SELF-PROTECTION", 2001

Cast bronze
600 × 300 × 120 cm (on base)

Beaumont utilise avec insistance, dans son œuvre, tables de fer et d'acier, plateformes, bancs, poutres, cubes et assemblages de formes, moulées à partir de plans irréguliers de terre cuite, suggérant une relation entre ses figures et l'architectonique. Dans *Le Courage*, 1994 (110), installé à l'entrée principale de l'hôpital Erasmus de Bruxelles, une simple figure de bronze brave l'espace architectural du hall d'entrée. L'espace dramatique opère comme une sorte de syntaxe au sein de l'architecture, permettant à la figure, qui, sur son haut piédestal d'acier, brandit mystérieusement un objet rectilinéaire, d'offrir une signification ouverte aux visiteurs qui entrent et sortent de l'hôpital.

Dans la version complète du *Courage* (112, 113) installée sur les Ramblas de Santa Cruz de Tenerife, aux côtés d'œuvres de sculpteurs comme Henry Moore ou Fernando Botero, un ensemble de trois figures de bronze sur une plateforme horizontale d'acier soudé fait face à une figure isolée, juchée sur un haut piédestal vertical. Dans l'espace séparant les deux parties de l'installation, des plaques de bronze empilées les unes contre les autres – évoquant le processus de construction en cours – définissent un lien transitionnel. En instaurant une distance dans les regards de chaque figure, Beaumont évite toute sentimentalité et insiste sur la métaphore architectonique d'une structure incertaine et encore inachevée. Le regard de chacune des trois figures est différemment orienté. L'artiste, pour exprimer ce mélange contradictoire d'inquiétude et d'espoir, a dû harmoniser les figures et leurs singularités aux paramètres architecturaux des Ramblas et préserver un espace suffisant pour le déplacement des visiteurs dans l'espace.

Le Courage deals with syntax on two levels: art and life. The transition between the sculpture and the architectural space requires a direct, yet subtle interface. The result is a dialogical conversation between the objectivity of form and the subject's personal thoughts and emotions. In addition to the bronze and steel version of *Le Courage*, there is a terracotta version of the complete sculpture, originally exhibited at the Château Beychevelle in France, which honored Beaumont with a distinguished award.

The dialogical encounter expressed in *Le Courage* further suggests a work by Beaumont, installed at the National Airport of Zaventem-Brussels, entitled *Le Départ*, 1998 (94). They are two bronzes of the same figure on two welded steel platforms mounted on a single concrete base. The figures are separated by a space of maybe two meters. When I initially saw a version of *Le Départ* in New York in 2004, it took a moment to discover that the two figures were, in fact, from the same mold. This suggests a somewhat mystical aura, an atmosphere of uncertainty, as if the personage is in a period of transition, waking from the unconscious into consciousness. It is the notion of a realization, where something unfamiliar suddenly appears familiar.

I read these figures as recognition of solitude, as the two personages recognize this quality in one another in a public space. It is as if the self had become the other, and the other had become the self. Each figure repeats the same gesture, the identical gaze, at the exact moment.

112. "LE COURAGE", 1994

Le Courage pose la question de la syntaxe à deux niveaux : celui de l'art et celui de la vie. Le passage de la sculpture à l'espace architectural nécessite une interface directe, quoique subtile. Il en résulte une conversation dialogique entre l'objectivité de la forme et les pensées et émotions intimes du sujet. La version en bronze et en acier du *Courage* correspond à l'original en terre cuite de l'œuvre intégrale, initialement exposé au Château Beychevelle en France, et qui a valu à Beaumont les honneurs d'une distinction réputée.

La rencontre dialogique mise en scène par *Le Courage* rappelle une autre œuvre de Beaumont, *Le Départ*, 1998 (94), installée dans l'aéroport national de Zaventem à Bruxelles. Il s'agit de deux bronzes de la même figure, installés sur deux plateformes d'acier fondu montées sur une unique base de béton. Les figures sont espacées d'environ deux mètres. La première fois que je vis *Le Départ*, à New York en 2004, il me fallut un temps pour comprendre que toutes deux étaient issues du même moule. Elles dégageaient une sorte d'aura mystique, un sentiment d'incertitude, comme si le personnage, s'éveillant de l'inconscience à la conscience, se trouvait pris dans un espace intermédiaire, incarnant une forme de réalisation, dans laquelle le non familier se ferait soudainement familier.

Je vois dans ces figures une acceptation de la solitude, chacun des deux personnages découvrant dans l'autre cette singularité au cœur de l'espace public – comme si le soi était devenu l'autre, et l'autre le soi. Chaque figure répète le même geste, le même regard, exactement au même moment.

Again, as in *Le Courage*, there is evidence of a dialogical encounter, what the philosopher Martin Buber refers to as a "meeting place." In his famous book, *I and Thou* (1923), Buber defines ontology as what is deepest and most meaningful within the human experience. His book is an exegesis on the importance of the meeting place, the common ground between two individuals that allows for a spiritual encounter. His inquiries into the nature of Being through the dialogical encounter are the basis of his philosophy.

As In Buber's dialogical encounter, *Le Départ* raises the questions: Who am I? And who art Thou? Are they, in fact, the same person? There is a lingering affect of solitude. Without the recognition of solitude, that departure would fail. It would fall short of a profound experience – a separation – and would be relegated to a simplistic or mundane event. Yet *Le Départ* eludes anything mundane or banal. There is silent pulse of the moment, and it is happening within a specific time and place. The airport in Brussels offers an ideal context. Airports are places in which feeling of time and space enters into consciousness in a deep, sometimes anxious way. Beaumont's work holds the moment as a dramatic instant in time. Within time – indeed, within this dialogical encounter – is the recognition of the self and the other, the I and Thou. It happens as a kind of heightened sensory cognition, almost as if the experience signified in *Le Départ* were at the very origin of art – the mystical moment of the creative impulse.

113. "LE COURAGE", 1994

Double page suivante - Following spread:

114. INSTALLATION II, 1993
    Clay models in studio

C'est le signe, comme dans *Le Courage*, d'une rencontre dialogique, ce que le philosophe Martin Buber appelle un « lieu de rencontre ». Dans son célèbre livre, *Je et Tu* (1923), Buber définit l'ontologie comme l'expérience humaine la plus profonde et la plus significative. Son livre est une exégèse de l'importance du lieu de rencontre, terreau commun à deux individus ouvrant sur la rencontre spirituelle ; et ses recherches sur la nature de l'Être à travers la rencontre dialogique forment la base de sa philosophie.

Comme la rencontre dialogique de Buber, *Le Départ* soulève ces questions : Qui suis-je ? Et qui es-tu ? Sommes-nous, de fait, une et même personne ? Un sentiment persistant de solitude se dégage. Sans la reconnaissance de la solitude, le départ est voué à l'échec, privé de l'expérience profonde de la séparation et relégué à un événement superficiel et mondain. Pourtant, *Le Départ* écarte toute mondanité ou banalité. La silencieuse pulsation du moment se manifeste dans un temps et un lieu spécifiques. Lieu où le sentiment du temps et de l'espace pénètre la conscience de manière aussi profonde que troublante, l'aéroport de Bruxelles offre un cadre idéal à l'œuvre de Beaumont, qui prolonge cet instant en un moment dramatique. Dans le temps – dans la rencontre dialogique même – s'accomplit la reconnaissance de soi et de l'autre, du Je et du Tu, en une sorte de cognition sensorielle aiguë, presque comme si l'expérience signifiée par *Le Départ* était à l'origine même de l'art – moment mystique de l'impulsion créatrice.

115, 116.
INSTALLATION I, 1993
Terracotta,
270 × 110 × 245 cm

In recent years, the artist has concentrated on the single figure, both in terracotta and bronze, using various poses – standing, kneeling, squatting, or reclining – as earlier she worked with ensembles of two or three figures, dyads and triads. Whether individually conceived or as an ensemble, the figures are contained within an implied architectural space. My observation of Hanneke Beaumont's reclining, sitting, and kneeling terracotta figures happened on the occasion of the artist's retrospective at the Museum Beelden aan Zee near The Hague in 2005. I had been graciously invited to make a few remarks in relation to this impressive and beautifully installed exhibition. It was here at the Museum Beelden aan Zee that I came to understand Beaumont's work on a much different level than I had previous considered. I came to realize that Hanneke Beaumont's work was not only historical in terms of Modernist sculpture – with affinities to Giacometti, Marcks, and Lehmbruck, among others – but was also historical on the level of ancient sculpture, particularly in relation to the great Etruscan stone carvings of reclining figures on the lids of the sarcophagi.

In the late sixties, I visited a small museum with an important collection of Etruscan art in the town of Chiusi in the Arno Valley, midway between Florence and Rome. It was my first visit to Italy and I had just turned twenty-two. I was traveling around the peninsula, excited to see the great monuments, frescoes, mosaics, and paintings, most of which I barely knew, but had studied independently on my own in southern California. This included a small book I had read

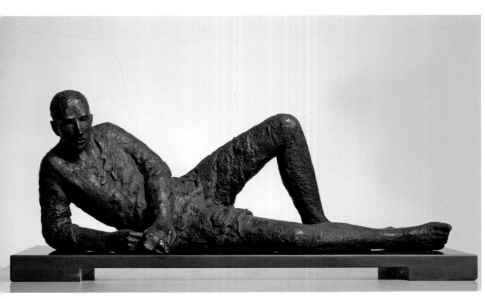

Tout comme elle travaillait auparavant sur des ensembles de deux ou trois figures, binômes ou trinômes, l'artiste s'est concentrée ces dernières années sur la figure isolée, en terre cuite ou en bronze, dans des poses variées – debout, agenouillée, accroupie ou étendue. Pensées individuellement ou participant d'un tout, les figures s'inscrivent dans un espace architectural implicite. C'est à l'occasion de la rétrospective de l'artiste au Museum Beelden aan Zee, près de La Haye, en 2005, que je découvrais ces figures en terre cuite. J'avais été gracieusement invité à commenter cette exposition impressionnante et magnifiquement conçue. C'est là, au Museum Beelden aan Zee, que j'en vins à comprendre une dimension de l'œuvre de Beaumont que je n'avais pas saisie jusqu'alors. Je pris conscience de ce que l'œuvre de Hanneke Beaumont n'était pas seulement fondamentale en terme de sculpture moderniste – par ses affinités avec Giacometti, Marcks ou Lehmbruck – mais par ses liens avec la sculpture classique, et notamment avec les grandes sculptures de pierre étrusques et leurs figures allongées sur le couvercle des sarcophages.

À la fin des années soixante, je visitai la grande collection d'art étrusque, d'un petit musée de la ville de Chiusi, à mi-chemin entre Florence et Rome dans la vallée de l'Arno. C'était ma première visite en Italie et je venais d'avoir vingt-deux ans. Je voyageais à travers la péninsule, excité par la découverte des grands monuments, des fresques, mosaïques et peintures, que, pour la plupart, je connaissais à peine, mais que j'avais étudiées par moi-même en Californie du Sud.

on Etruscan sculpture, which I had used to compare with Pre-Columbian sculpture that I had seen earlier at the Los Angeles County Museum of Art. As a result of my youthful pre-academic interest, I wanted to see the actual stone works, particularly the reclining figures on the lids of the Etruscan sarcophagi.

In those days, it was not easy to find this little-known museum in Chiusi by means other than an automobile. So I contacted an American acquaintance that had purchased a Volkswagen in Amsterdam earlier that summer and arranged to drive there with him. We left Florence after dinner and made our way through the night on small backcountry roads. After several hours, we pulled the car into a wheat field with the intention to sleep a few hours before continuing our journey. The temperature was stifling hot and the mosquitoes were unrelenting. At dawn we awoke (having not really slept) and continued our drive to Chiusi in my dogged search to find the Etruscan sarcophagi. Miraculously, we found the museum a few hours later, but it was still too early in the morning. The steel doors were tightly locked and nobody was in the vicinity. After waiting at a small café for two hours, a caretaker appeared – a short elderly man with unkempt hair – and proceeded to open the doors. As we approached the entrance, we were told not to enter. It was closed to visitors without an appointment. We explained in broken Italian that our purpose in visiting Chiusi was to see the Etruscan sarcophagi. We had come all the way from the United States and had driven through the night from Florence with the purpose of viewing these Pre-Roman artifacts.

118. INSTALLATION II, "FRAGMENT OF TIME", 1993
Detail

117. BRONZE # 71, 2005
26,5 × 22 × 64 cm

J'avais notamment utilisé un petit livre sur la sculpture étrusque pour comparer cette dernière aux sculptures précolombiennes que j'avais observées au Los Angeles County Museum of Art. Animé par ma passion préuniversitaire, je voulais observer les vraies œuvres de pierre, et surtout ces figures allongées des couvercles de sarcophages.

Il n'était guère aisé alors d'atteindre ce musée peu connu de Chiusi autrement qu'en voiture. Je contactais un ami américain qui, plus tôt dans l'été, avait acheté une Volkswagen à Amsterdam, et m'arrangeais pour que nous nous y rendions ensemble. Ayant quitté Florence après le dîner, nous nous sommes dirigés de nuit sur de petites routes de campagne. Après plusieurs heures, nous nous sommes arrêtés dans un champ de blé avec l'intention de dormir quelques heures avant de poursuivre notre voyage. La chaleur était suffocante, les moustiques implacables. Réveillés à l'aube (sans avoir vraiment dormi), nous avons continué notre route vers Chiusi, dans cette quête obstinée des sarcophages étrusques et découvert par miracle le musée quelques heures plus tard, mais trop tôt encore. Les portes en fer étaient soigneusement fermées et les environs déserts. Après deux heures d'attente dans un petit café, un gardien apparut, petit homme âgé aux cheveux en bataille, qui entreprit d'ouvrir les portes. Alors que nous nous approchions, il nous fut signifié de ne pas entrer. Le musée était fermé aux visiteurs sans rendez-vous.

The caretaker contorted his face as if to suggest that we were misguided and should seek gainful employment elsewhere, but finally agreed to allow us entry on the condition that we leave the premises before the Director arrived.

Once inside this cavernous, barely lit interior, the exhibition space appeared less a museum than a storage vault. The rooms were crammed with ceramic shards. Amphorae were stacked everywhere, and stone sarcophagi lay piled against one another in various states of conservation. Some had been broken, probably for centuries, but many were still intact. It was still possible to decipher the genius in the carving of these incredibly refined and expressive figures – all remnants of a culture that had vanished without written records, more than a century before the Romans appeared. In fact, the Etruscans were a pre-civilization about which scholars know very little. Yet these chiseled faces felt completely contemporary and vital. That morning in Chiusi opened my eyes and my mind to sculpture in a way that I never got in the Florentine Academy a few days earlier.

From my perspective, Hanneke Beaumont's figures extend back to the Etruscans in the sense that they capture that in-between moment, that reflective instant between thought and action, as discussed in relation to *Le Départ*. This in-between moment, relative to Buber, and consistent in Etruscan carvings, was the expression I felt in looking at these reclining personages on the sarcophagi.

119. BRONZE # 74, 2005
Detail

Nous avons expliqué dans un italien haché que nous avions pour unique objectif à Chiusi de voir les sarcophages étrusques, mais de tout ce voyage depuis les États-Unis, et que nous avions roulé toute la nuit de Florence dans le seul but de découvrir les artefacts préromains. Le gardien grimaça, nous signifiant notre méprise et que nous devrions aller chercher ailleurs meilleur emploi, mais finit par accepter de nous laisser entrer à condition que nous quittions les lieux avant l'arrivée du directeur. Une fois dans la pénombre de cet intérieur caverneux, l'espace d'exposition m'apparut moins comme un musée que comme une vaste cave de stockage. Les salles étaient bourrées de tessons de céramique, les amphores entreposées partout, et les sarcophages de pierre empilés les uns contre les autres en divers états de conservation. Certains étaient brisés, probablement depuis des siècles, mais beaucoup étaient toujours intacts. Le génie transparaissait encore dans la sculpture de ces figures incroyablement raffinées et expressives – autant de vestiges d'une culture sans trace écrite, disparue plus d'un siècle avant l'apparition des Romains. Les Étrusques forment en effet une pré-civilisation mal connue des universitaires. Et pourtant, ces visages ciselés apparaissaient tellement contemporains et vivants. Ce matin-là à Chiusi m'ouvrit les yeux et l'esprit à l'appréciation de la sculpture, d'une manière qui m'était restée inaccessible à la Florentine Academy quelques jours plus tôt.

Les figures de Hanneke Beaumont me semblent avoir hérité des Étrusques une certaine manière de saisir l'entre-deux, cet instant réflexif qui sépare la pensée de l'action, déjà mis en évidence dans *Le Départ*.

Both *Bronze # 71* (117) and *Bronze # 74* (119) somehow reveal this condition as if the figures constituted
a passage through time, and a testing of their own
mortal limits. Both figures suggest they are some
where in-between, not entirely resolved, yet in the
process of discovering how they feel through
the position of their bodies. *Bronze # 74* appears
levitating upward as his torso twists from one side
to another. On the contrary, *Bronze # 71* carries more
assurance, as he is more fixed in his position
on the light side, yet starring blankly ahead, inadvertently giving a testimony of uncertainty. These are
appearances of mortality, assertions of Being, on the
nature of Being, both solitary and yet within their own
space, alienated from the outside world.

Beaumont often captures a sudden amazement in
her personages that something is happening internally,
yet entirely known to the outside world. This is revea-
led through a sense of contained autonomy, gesture,
implied movement, and silence. The nature of Being
resides in this tempestuous zone, as it has existed
throughout the history of Western art, forever on the
brink of amazement. This is reinforced by the position
of the body. The body, in turn, functions as a sign of
the times, as it does in Etruscan sculpture. In studying
the earlier terracotta versions for Beaumont's two
bronze reclining figures, I noticed that the reddish earth
tones of the clay also hold a semblance to sun-baked
clay in Tuscany and to the hematite red iron ore, the
minerals found in the rocks throughout the Arno valley.

Ce moment intermédiaire, défini par Buber et omni-
présent dans les sculptures étrusques, est précisément
ce que j'ai ressenti en observant les personnages
couchés sur les sarcophages. *Bronze # 71* (117) et
Bronze # 74 (119) incarnent tous deux cette condition,
comme si les figures formaient un passage à travers
le temps, mettant à l'épreuve leurs propres limites
mortelles. Toujours dans un entre-deux, encore indécises,
les deux figures sont en passe de découvrir ce qu'elles
éprouvent par leurs corps. *Bronze # 74* semble en lévita-
tion, son torse d'un côté et de l'autre. *Bronze # 71*, plus
assuré et ancré dans sa position sur le côté, regarde
fixement devant lui, laissant transparaître par mégarde
quelque incertitude. Ce sont là les signes de mortalité,
des affirmations de l'Être sur la nature de l'Être, à la fois
solitaire et pourtant étranger, au cœur de son propre
espace, au monde extérieur.

Les personnages de Beaumont manifestent par
moment une soudaine stupéfaction, signe que quelque
chose advient en eux, sentiment rendu parfaitement
perceptible pour le monde extérieur à travers leur
autonomie contenue, leur gestuelle, leurs mouvements
implicites ou par leur silence. La nature de l'Être appar-
tient à cette zone tumultueuse, à la limite de la stupéfaction, tout au long de l'histoire de l'art occidental.
Le corps, dans son attitude contournée, fonctionne ici
à l'image de la sculpture étrusque. L'étude des versions
antérieures en terre cuite des deux figures de bronze
allongées de Beaumont m'a permis de noter ces
nuances de terre rouge de l'argile, qui ne sont pas
sans rappeler l'argile cuite au soleil de Toscane et le
minerai de fer rouge hématite que l'on trouve dans
les roches de la vallée de l'Arno.

120. TERRACOTTA # 68, 2004

67,5 × 24,5 × 19,5 cm

With the passage of time, things change, and the changes are not always known or realized at the moment they are happening. Yet art has a way of distilling the ideal body. The youthful Kouros in Pre-Hellenic times with braided locks stands frontal without a gesture or articulated expression. Nothing turns or twists in the manner a contrapposto as seen in the carved marble figures during the late Classical period (a style borrowed by the Romans and later revived in the Italian Renaissance). This was a period when myths and politics took on a different form of life and the body needed another kind of ideal positioning by which to represent the embodiment of thought. The classical Greek would assume a philosophical stance. This signaled a new idea about civilization in which reason served the people, and people either served one another or strove to compete against one another for power. The standing or symmetrically seated figure was more convincing than the vernacular figure posed squatting or in a state of repose.

Today the solitary figure in sculpture does not have to be assigned a particular pose in order to transmit expression. Within the past few years Beaumont has returned to these isolated personages, and has resurrected the existential nuance, the allusion to allegory beyond a superficial narrative. The nature of Being comes into focus once again. The issue is how to transmit expression apart from sculpture becoming official art and how to avoid the kind of sentimentality that underlies the quest for power. This is both a challenging and problematic issue as the artist conceives and realizes monumental figures

121. TERRACOTTA # 65, 2003
Detail

Le temps modifie toute chose, bien que les changements ne soient pas toujours tangibles ni perçus au moment où ils interviennent. Pourtant, l'art a une manière spécifique d'exprimer le corps idéal. Le jeune Kouros aux boucles tressées des temps préhelléniques nous fait face sans un geste ni une expression articulée. Là, rien ne dévie ni ne plie, contrairement au *contrapposto* des figures de marbre sculptées à la fin de la période classique (ce style emprunté par les Romains et revisité plus tard à la Renaissance italienne). À cette époque où mythes et politique représentaient une autre forme de vie, le corps réclamait une autre forme de positionnement idéal afin d'incarner la pensée. La philosophie de la Grèce classique marquait une vision nouvelle de la civilisation, où la raison était au service des individus, lesquels s'associaient ou au contraire s'opposaient dans leur quête du pouvoir. Pour eux, la figure debout ou symétriquement assise communiquait mieux ce principe que la figure accroupie ou en position de repos.

Inutile aujourd'hui d'assigner à la figure solitaire telle pose afin de transmettre telle expression. Ces dernières années, Beaumont est revenue vers les personnages isolés, ravivant à travers eux la nuance existentielle, l'allégorie au-delà du récit superficiel. La question de la nature de l'Être revient au cœur de l'attention. Comment transmettre une expression en évitant l'écueil d'un art convenu ? Comment écarter la forme de sentimentalité qui sous-tend toute quête du pouvoir ? La conception et la réalisation de figures monumentales destinées

to be viewed in public spaces that are shared by government officials and ordinary working people.

I refer again to *Stepping Forward* – the commissioned work for the European Council of Ministers in Brussels. While the aesthetic concept, complexities of material, quality of work, and engineering details, are of primary concern to the artist, the reception to any sculpture with a political theme will be highly diversified and beyond the possibility of universal agreement. It is much to the credit of Hanneke Beaumont that she chose to retain her idea of the solitary figures without overdetermining the symbolic aspect of the work. In contrast to the Classical Greeks, *Stepping Forward* does not appear to confuse democracy with power. Instead, one may interpret Beaumont's work as a personage in the process of maintaining balance, walking forward not with an aggressive stride – like Boccioni's *Continuity of Forms in Space* (1912) – but with a more self-contained spatial awareness. The arms of the young adult male figure extend slightly out from the torso as he concentrates on walking a "tight line" into the future. Undoubtedly there are those who are critical of the male representation or that the figure is Caucasian, but these aspects of the work are secondary to the manner of the stride and to the sensory awareness of embodied thought. This is a remarkable sculpture that portrays a relaxed solitary figure without aggression, even to the point of vulnerability. It would seem that this kind of representation is accurate in terms of what this body of governance should strive to become.

122. "STEPPING FORWARD", 2006

Detail

à des espaces publics, fréquentés à la fois par des dirigeants officiels et des travailleurs ordinaires, posent cette question aussi stimulante et que problématique.

Je reviens une fois encore à *Stepping Forward* – commandée par le Conseil de l'Union européenne à Bruxelles. Si le concept esthétique, la complexité des matériaux, la qualité de l'œuvre et les détails techniques sont la préoccupation première de l'artiste, la réception d'une sculpture à thématique politique est toujours extrêmement variée et ne saurait engendrer un consensus universel. Que Hanneke Beaumont s'en tienne aux figures solitaires sans en surdéterminer l'aspect symbolique est tout à son honneur. Contrairement aux Grecs classiques, *Stepping Forward* ne semble pas confondre démocratie et pouvoir. On peut voir dans cette œuvre un personnage tentant de maintenir un équilibre, avançant sans agressivité – à l'image des *Formes uniques de la continuité dans l'espace* de Boccioni (1912) –, mais avec une conscience plus circonscrite de l'espace. Les bras du jeune homme s'écartent légèrement du torse, tandis qu'il se concentre pour « s'orienter » vers le futur. Certains critiqueront la représentation masculine ou le caractère caucasien de la figure, mais ce sont là des détails secondaires par rapport à la singularité de la foulée, à la conscience sensorielle de la pensée incarnée. C'est là une sculpture remarquable, représentation d'une figure solitaire sereine, dénuée d'agressivité, à la limite de la vulnérabilité. On pourrait aller jusqu'à dire que cette représentation se voudrait l'écho des objectifs que cet organisme gouvernemental devrait s'efforcer d'atteindre.

In addition to her recent sculpture, drawing has been an important resource in the work of Hanneke Beaumont. This is true for many sculptors. The drawing can either serve as a series of studies for the evolution of an idea for a new form or it can be done after the fact, by observing the sculpture and reinterpreting its presence in space from a variety of angles. Drawings can also serve as a diversion – a necessary diversion – where new forms are spawned or a new range of thinking comes into view. For example, Beaumont does both. She draws the figure often using watercolor washes made of the same earth tones seen in her terracotta sculpture, or she will concentrate on a horizontal field or vertical field of earth color, often with abstract geometric lines. In either case, there is an indelible style to her method of work, her application of the lines and the washes that suggest or signify a space, a field of activity, surrounding or within the forms. These are numbered, as are the sculptures.

In the drawing study of *Bronze # 59* (50), an umber wash with a swatch of white pigment freely covers the surface on which a kneeling figure is visually articulated. The figure kneels in profile with hands spread in a pose familiar to those who know the artist's large-scale work. This study specifically engages a counterpoise between the figure and the oscillation of space as it confronts the void of nature.

124. DRAWING STUDY OF BRONZE # 55, 2000
Mixed media on paper, 125 × 96 cm

123. TERRACOTTA # 39, 1998
Detail

Comme pour nombre de sculpteurs, le dessin constitue pour Hanneke Beaumont une source importante d'inspiration en marge de ses sculptures. Le dessin peut servir d'étude pour l'élaboration d'une forme nouvelle ; il peut être réalisé après coup, en observant la sculpture et en réinterprétant sa présence dans l'espace de divers points de vue. Les dessins peuvent aussi servir de diversion – diversion nécessaire, où se multiplient les formes nouvelles et où apparaît un nouveau mode de pensée. Beaumont s'intéresse à ces deux aspects. Elle dessine la figure souvent au moyen de lavis aquarelles de mêmes tons naturels que ses sculptures de terracotta, et se concentre sur un champ horizontal ou vertical de couleur terre, jouant sur les lignes géométriques abstraites. Chaque fois, sa méthode de travail réaffirme son style propre, l'application de lignes et de lavis suggérant un espace, un champ autour de ou à l'intérieur des formes. Comme les sculptures, les dessins sont numérotés.

Dans l'étude du *Bronze # 59* (50), un lavis terre de Sienne mêlé de touches de pigment blanc couvre librement la surface sur laquelle apparaît la figure agenouillée. De profil, les mains tendues, elle adopte une pose familière à ceux qui connaissent l'œuvre de l'artiste. Cette étude manifeste un équilibre entre la figure et les fluctuations de l'espace confronté au vide de la nature.

125. DRAWING STUDY OF "STEPPING FORWARD", 2004

Mixed media on paper, 73 × 55 cm

126. "STEPPING FORWARD", 2006

580 × 196 × 145 cm (on base)

127. DRAWING # 58, 2003
Mixed media on paper, 50 × 65 cm

128. DRAWING # 66, 2004
   Mixed media on paper, 50 × 65 cm

129. DRAWING # 65, 2004
   Mixed media on paper, 50 × 65 cm

130. "ICY ROADS", DRAWING # 97, 2006
Mixed media on paper, 55 × 73 cm

131. "ICY ROADS", DRAWING # 98, 2006
   Mixed media on paper, 55 × 75 cm

132. "ICY ROADS", DRAWING # 99, 2006
  Mixed media on paper, 55 × 75 cm

133. CLAY MODEL # 44, 1999

66 × 80 × 52 cm

From another point of view, the seated figure shown in *Drawing # 68*, 2004 (42, 44) is highlighted with dabs of white over a wash that is more given to stability than to oscillation. Also, *Drawing study of "Stepping Forward"*, 2004 (125) employs a more consistent umber ground from which the frontal figure moves forward in confidence with arms astride. While each drawing may function as a formal study for one of Beaumont's major works, they make visible a heightened degree of expressive content that may or may not be apparent, upon first glance, in viewing the sculpture. The geometry, while not always obvious as form, is translated through space in the drawings. In any case, the hidden geometry exists within the organic structure of the whole, reminiscent of the steel planes and I-beams and the slabs of clay Beaumont uses when her figures confront various juxtapositions of architecture.

In a more recent group of drawings from 2006, the geometry has given way to more gestural flows of paint in which shapes are pulled out of them. Also, she has added blues and grays with the earth reds and umbers along with the perennial black and white pours and marks. These works tend to be horizontal and therefore suggest landscape patterns or landscapes of the mind, a kind of statement on the environment in its current condition. But the pulse in some of these drawings – even though they are done with paint, they are still drawn – maintains a control that is indicative of Beaumont's sculpture. The sense of forms that evolve from these landscapes are very much related to either the space of the body or the spaces between bodies that she employs is some of her sculptural ensembles, such as *Composition # 45*, 2000 (77) or *Composition # 44*, 2001 (133).

134. COMPOSITION # 44, 2001
Cast iron, diam. 200 cm, H. 180 cm

Ce sont les touches de blanc, sur fond de lavis plus stable que fluctuant, qui rehaussent la figure assise de *Drawing # 68*, 2004 (42, 44). De même, dans *Drawing study of "Stepping Forward"*, 2004 (125), un fond terre de Sienne plus consistant se déploie, d'où se détachent les figures frontales, bras écartés, s'avancent, confiantes. Si chaque dessin fait figure d'étude formelle préparatoire, chacun rend aussi visible un degré supérieur de contenu expressif, perceptible ou non au premier regard. Si elle n'est pas toujours manifeste en tant que forme, la géométrie se traduit dans les dessins à travers l'espace. Cachée, elle prend forme au sein de la structure organique de l'ensemble, évoquant les plaques d'acier, les poutres métalliques, les blocs de terre qu'utilise Beaumont pour ses figures installées dans de vastes ensembles architecturaux.

Dans une série de dessins de 2006, la géométrie s'efface au profit de flots plus gestuels de peinture, desquels s'extirpent les formes. Aux rouges et terre de Sienne, aux habituelles traces et surfaces noires et blanches, viennent s'ajouter des bleus et des gris. De formats plutôt horizontaux, ces œuvres suggèrent des motifs de paysages, paysages de l'esprit, sortes de constat de condition actuelle de l'environnement. Mais le rythme de ces dessins – car même peints, ils restent dessinés – dénote le même contrôle que dans les sculptures. Le sens des formes qui émane de ces paysages est profondément lié à l'espace du corps, ou aux espaces entre les corps qu'elle utilise dans certains de ses ensembles sculpturaux, comme *Composition # 45*, 2000 (77) ou *Composition # 44*, 2001 (133).

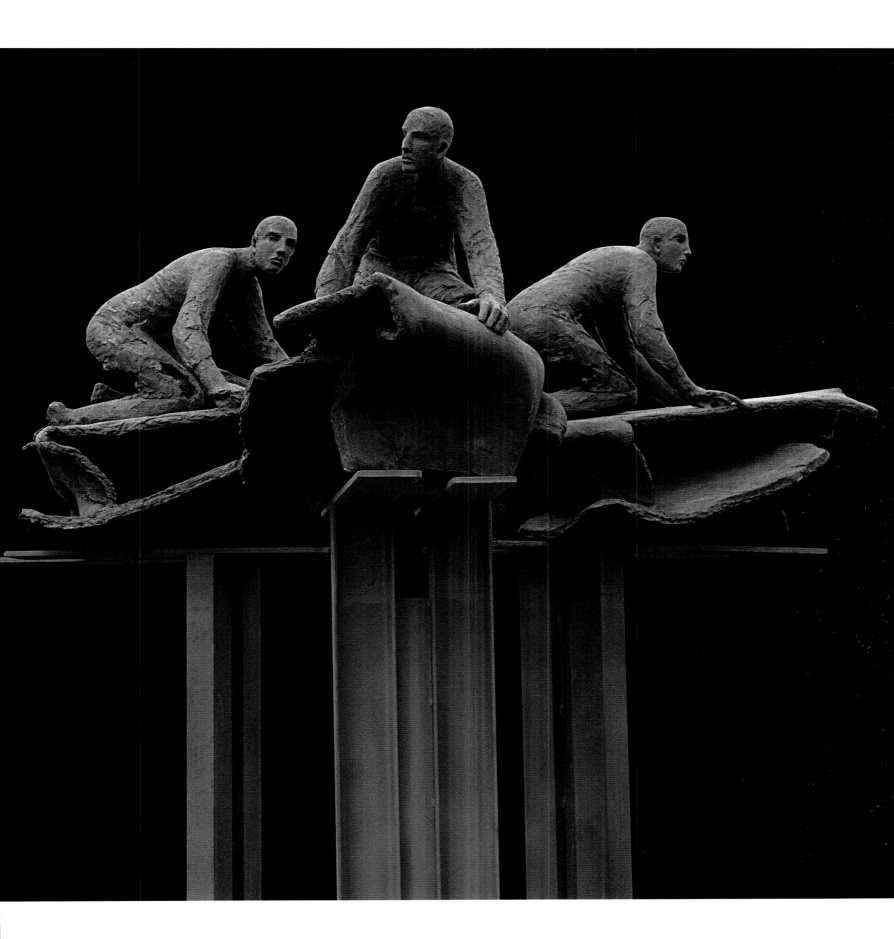

I have not spoken much of Hanneke Beaumont's biography. She was born in The Netherlands (Maastricht) and has lived in Belgium for most of her adult life. She studied dentistry at Northeastern University in Boston for two years (1965-1967) before returning to Europe. After an interval of ten years, she entered the Academie des Arts in Braine-l'Alleud to study sculpture and then continued after four years at the Ecole nationale supérieure de La Cambre in Brussels. Upon completion, she extended her studies for another three years at the Hogere Rijksschool voor Beeldende Kunsten, to further prepare herself to enter the world of art as a figurative sculptor.

Given Beaumont's initial interest in dentistry, I find a curious connection between this early pursuit and sculpture – at least, on a technical level, and maybe on a formal level as well. Two sculptors from the New York School of the fifties, Seymour Lipton and Herbert Ferber, were both dentists. I remember a dental student at the University of Massachusetts in Amherst who took a studio art course in Sculpture, because his academic advisor had encouraged him to learn how to sculpt. I was particularly impressed when he got to the plaster cast from the negative mold, and began working with small dental tools to correct the imperfections before the final cast in bronze. As a result I have acquired an admiration for good dentistry, and, upon occasion, have taken solace in the prospect of having root canal surgery offers nothing to fear. It is only a miniaturized form of sculpture.

Hanneke Beaumont's sculpture has transcended the limits of expectation regarding how we see the figure in context of today's world. In studying her personages over and over again – as I did during her retrospective at the Museum Belden aan Zee – I was moved by extensive craft within her art and by her willingness to follow through on every detail, yet always pushing forward with new ideas – essentially, what important artists have always done.

Je n'ai guère évoqué la biographie de Hanneke Beaumont. Née aux Pays-Bas (à Maastricht), elle a vécu en Belgique la plus grande partie de sa vie adulte. Après avoir suivi des études de dentiste à la Northeastern University de Boston pendant deux ans (1965-1967), elle rentre en Europe. Dix ans plus tard, elle est entrée à l'Académie des Arts de Braine-l'Alleud pour étudier la sculpture, avant de suivre durant quatre ans les cours de l'Ecole nationale supérieure de La Cambre à Bruxelles. Une fois sortie, elle a approfondi ses études par trois années supplémentaires à la Hogere Rijksschool voor Beeldende Kunsten, se préparant ainsi à entrer dans le monde de l'art avec ses sculptures figuratives.

L'intérêt initial de Beaumont pour les études dentaires m'incite à établir un lien étrange entre cette passion des débuts et la sculpture – à un niveau technique, et peut-être aussi à un niveau formel. Seymour Lipton et Herbert Ferber, sculpteurs issus de la New York School dans les années 1950, étaient dentistes. Je me souviens d'un étudiant en dentisterie à l'University of Massachusetts d'Amherst, qui, encouragé dans son apprentissage par son conseiller académique, suivait un cours de sculpture. Je fus particulièrement impressionné lorsque, une fois le moulage en plâtre achevé, il commença à le travailler avec de petits outils dentaires pour en corriger les imperfections avant le moulage final en bronze. J'ai ainsi acquis une grande admiration pour l'art dentaire et me suis, à l'occasion, consolé à la perspective de subir quelque dévitalisation en songeant que je n'avais rien à craindre, puisqu'il ne s'agissait là que d'une forme miniaturisée de sculpture.

Les sculptures de Hanneke Beaumont défient notre manière d'envisager la figure dans le contexte du monde contemporain.

Beaumont's work does not stay in one place. Just when I think I've got it, there is always something new to discover, something that I forgot to observe, or maybe did not observe closely enough. While the form of her sculpture represents the visual aspect of her work, I have tried to offer a means by which to address the content of what these marvelous forms are telling us and how they function in terms of communicating aesthetic, psychological, ontological, and fundamental human concerns at this moment in the history of art.

During the Abstract Expressionist era in New York, a half-century ago, artists were forever testing the limits of what they could do, always going beyond what was expected, in order to clarify their ideas. Hanneke Beaumont's work reminds me of what I understand to have occurred in those studios on Tenth Street. But now, of course, we are in a different environment, one that is overwhelmed by excess and incessant speed, a world in conflict with itself, and filled with distraught human beings trying to keep time with the various regimented systems of communications technology. As the nature of Being was the important challenge in the work of the Abstract Expressionists of the fifties, it might very well be today a formidable challenge for mature artists working today. A fundamental concern in expressionist art today is how to express the ontology of Being, and how to find a means of communication that avoids the traps of academic jargon. This was the challenge Pollock and Rothko – to be free from all that! What Beaumont has done, and remains in the process of doing, is to liberate herself from these impediments that obscure the nature of Being in her art. In the process, she maintains a clear vision of where her work must go, and determines how she intends to make it happen. "No art is chaste!", said Picasso. I think Beaumont understands that the human condition is far from ideal, and therefore, requires a form of expression that will transform classical Modernism into a purposeful human endeavor, a means of expression that only the true artist can understand.

Robert C. Morgan

Comme lors de sa rétrospective au Museum Beelden aan Zee, l'étude répétée de ses personnages m'a touché par la maîtrise impressionnante de l'artiste et par sa volonté d'aller jusqu'au bout de chaque détail, tout en continuant à avancer des idées nouvelles – ce qui, en somme, fut toujours le fait des grands artistes. L'œuvre de Beaumont est insaisissable. Chaque fois que je crois y être parvenu, je découvre un élément nouveau, que j'ai oublié de regarder ou peut-être négligé de regarder d'assez près. J'ai tenté de proposer, à ce moment précis de l'histoire de l'art, une interprétation en termes esthétiques, psychologiques, ontologiques et fondamentalement humains de ce que ces formes merveilleuses nous disent et comment elles le font.

Il y a un demi-siècle, les artistes expressionnistes abstraits new-yorkais testaient sans relâche les limites du possible, dépassant sans cesse leurs propres attentes afin de concrétiser leurs idées. L'œuvre de Hanneke Beaumont me rappelle ce que je crois avoir compris de ce qu'il se passait alors dans les ateliers de la 10e rue. Mais, l'environnement contemporain est tout autre bien sûr, monde en conflit avec lui-même, bouleversé sans relâche par l'excès et la vitesse, habité d'êtres désespérés s'efforçant de s'adapter au rythme oppressant des technologies des systèmes de communication. La question primordiale des expressionnistes abstraits était la nature de l'Être, peut-être aujourd'hui encore un vaste défi pour les artistes contemporains accomplis. Trouver les moyens de dire l'ontologie de l'Être, les moyens d'une communication qui évite les pièges du jargon universitaire reste une préoccupation fondamentale de l'art expressionniste contemporain. C'est le but que s'étaient assignés Pollock et Rothko – se libérer de tout cela! C'est celui que s'est posé Beaumont, s'efforçant de se libérer des obstacles qui entravent la nature de l'Être. Elle garde, dans ce processus, une vision claire de la direction que doit prendre son œuvre, et des moyens d'y parvenir. « L'art n'est pas chaste ! », disait Picasso. Je crois que Beaumont a compris que la condition humaine, loin d'être idéale, nécessite une forme d'expression à même de transformer le modernisme classique en une entreprise humaine volontaire, un mode d'expression auquel seul l'artiste véritable est à même d'atteindre.

Working on "STEPPING FORWARD", Fonderia Mariani, Pietrasanta, Italy, 2006

*Double page précédente
- Previous spread:*

At the Fonderia Mariani,
Pietrasanta, Italy, 2007

Beaumont's studio
in Brussels, 2007

At the studio, 2000

Biography
Biographie

Hanneke Beaumont was born in Maastricht, The Netherlands, in June 1947. After studying in the United States, she moved back to Europe, to Belgium, where she still lives today. It was in 1977, while bringing up her three children, that Beaumont started her artistic studies; first at the Académie de Braine l'Alleud, then at l'Ecole Nationale Supérieure de La Cambre and at the Hogere Rijkschool voor Beeldende Kunsten. While still in art school, she held her first solo exhibition in 1983.

An important turn in her carrier happened in 1994 when she was awarded, for her sculpture group *Le Courage*, the major award of the Centre International d'Art Contemporain Château Beychevelle. Shortly after, she participated with this same group in the second Exposiciòn Internacional de Esculturas en la Calle, organized by the Colegio de Arquitectos de Canarias in Santa Cruz de Tenerife, where this work was acquired and permanently installed. In 1998, she was invited for Residency at the Centro Studi Ligure per le Arti e le Lettere, Fondazione Bogliasco, Italy.

Installation Museum Château de Gruyères, Switzerland

With her daughter, Mijntje Lukoff, and Jan de Ruyter

Hanneke Beaumont est née à Maastricht, aux Pays-Bas, en juin 1947. Après des études aux Etats-Unis, elle rentre en Europe, et s'installe en Belgique, où elle réside encore aujourd'hui. C'est en 1977, alors qu'elle élève ses trois enfants, que Beaumont commence ses études d'art, à l'Académie de Braine-l'Alleud tout d'abord, puis à l'Ecole Nationale Supérieure de la Cambre et à la Hogere Rijkschool voor Beeldende Kunsten. Encore étudiante, elle présente une première exposition personnelle en 1983.

Sa carrière prend son essor en 1994, quand elle reçoit le prix du Centre International d'Art Contemporain, Château Beychevelle, pour son installation *Le Courage*. Peu après, elle participe avec cette même œuvre à la seconde Exposiciòn Internacional de Esculturas en la Calle, organisée par le Colegio de Arquitectos de Canarias à Santa Cruz de Tenerife, qui acquiert son œuvre et l'expose de manière permanente. En 1998, elle est invitée en résidence au Centro Studi Ligure per le Arti e le Lettere, Fondazione Bogliasco en Italie.

In 2005, the Museum Beelden aan Zee holds an important retrospective of her work in the Hague. The large standing sculpture, titled *Stepping Forward*, was installed in December 2006 in front of the European Council of Ministers in Brussels.

Many other public and private collectors have manifested interest in her work. She now enjoys an international reputation with exhibitions and participations in numerous Arts Fairs throughout the USA, Canada, Belgium, France, Germany, Spain, The Netherlands, Switzerland...

Working principally in clay, Hanneke is renowned for her large-size terracotta works. The technique requires the sculptures to be built hole. Without armature, the clay has to carry the weight of the clay that follows. There is a limit as to the thickness of the clay used – when too thick or uneven, it will make the firing process hazardous. Once completed, each sculpture is fired up to four times in order to obtain the desired natural colors of the various clays, oxides and engobes. After firing, molds are taken for bronze or iron casting.

Hanneke Beaumont is presently working on several solo exhibitions which will be presented in the United States and in Europe.

En 2005, le Museum Beelden aan Zee présente une importante rétrospective de son œuvre à La Haye. Grande figure en pied, *Stepping Forward* est installée en décembre 2006 devant le Conseil de l'Union européenne à Bruxelles.

De nombreux collectionneurs privés et publics se sont intéressés à son travail. Sa réputation est désormais internationale, et ses expositions ont été accueillies aux Etats-Unis, au Canada, en Belgique, en France, en Allemagne, en Espagne, aux Pays-Bas, en Suisse...

Hanneke Beaumont travaille essentiellement la terre. Elle est connue pour ses grandes œuvres en terre cuite, dont la technique exige à la fois que les sculptures soient modelées creuses et sans armature, mais aussi une régularité dans l'épaisseur des couches de terre successives – trop épaisse ou trop irrégulière, elle rendrait le processus de cuisson hasardeux. Une fois achevée, la sculpture est cuite jusqu'à quatre fois, afin d'obtenir les couleurs naturelles souhaitées pour les différentes terres, oxydes et engobes. Les sculptures peuvent ensuite être moulées et coulées en bronze ou en acier.

Hanneke Beaumont prépare actuellement d'importantes expositions personnelles destinées à être présentées aux Etats-Unis et en Europe.

À gauche, ci-contre et ci-dessus
- Left, opposite and above:
Mariani Foundry

Personal exhibitions
Expositions personnelles

2007
Musée du Château de Gruyères, Gruyères,
    Switzerland
Robert Bowman Modern, London

2006
Galerie Frans Jacobs-Judith Bouwknecht
    Contemporary, Amsterdam, The Netherlands
Gallery Rosenbaum, Boca Raton, Florida

2005
Museum Beelden aan Zee, The Hague,
    The Netherlands.

2004
Neuhoff Gallery, New York

2003
Döbele Gallery, Art Cologne, Cologne, Germany,
    and therafter Dresden, Germany

2002
Hôtel de Ville de Tours, France
Galleria Sacchetti, Ascona, Switzerland
Irving Galleries, Palm Beach, Florida

2001
Fondation Bénédictine, Fécamp, France
Gallerie de Bellefeuille, Montreal, Quebec
Gallery Robert Bowman LTD, London

2000
Neuhoff Gallery, New York

1999
Irving Gallery, Palm Beach, Florida, U.S.A.
Philharmonic Center for the Arts,
    Naples, Florida

1997
Neuhoff Gallery, New York
J. Bastien Art Gallery, Brussels

1994
J. Bastien Art Gallery, Brussels

1993
J. Bastien Art, Brussels

1992
Sachetti Gallery, Ascona, Switzerland

1991
Spazio Temporaneo Gallery, Milan

1988
Pascal Polar Gallery, Brussels

1983
Pierre Vanderborght Gallery, Brussels

Ci-contre - Opposite:

At Museum Beelden aan Zee, The Hagues, Netherlands

Main collectives exhibitions
Principales expositions collectives

2007
Donna Scultura, Chiesa di Sant'Agostino, Pietrasanta,
Italy.

2006
Dessins de sculpteurs, Museum Ianchelevici,
La Louvière, Belgium

2005
"Psyche", Hanneke Beaumont & Edvard Munch,
Galerie Rieder, München, Germany.

2001
New Jersey Center for Visual Arts, USA
Progetto Scientifica, Artistico, Culturale,
"Il tempo del Cuore", Pisa & Pietrasanta, Italy.

2000
"Arte e Citta 2000", Bologna, Italy
"Skulptur Heute", Galerie Marie-Louise Wirth,
Zürich, Switzerland.

1999
Irving Gallery, Palm Beach, Florida
Fondation Prince Pierre de Monaco, Monte-Carlo,
Monaco.
Musée des Beaux-Arts et d'Archéologie -
J. Déchelette, Roanne, France

1998
Start' Art - Strasbourg, J. Bastien Art
"Skulptur Heute", Galerie Marie-Louise Wirth,
Zürich, Switzerland.
Art International New York, Neuhoff Gallery, USA.

1997
"Corpus Protectus", Musée Ianchelevici,
La Louvière, Belgium
"Formen-Räume", Galerie Schloss Neuhaus,
Salzburg, Austria.

1996
2ᵉ Biennale de Sculpture de Schaerbeek, Brussels

1995

Hüsstege Gallery, M.E.C.C., Maastricht,
  The Netherlands
Monumental 95, Helan Arts Foundation, Bornem,
  Antwerp, Belgium
"Contemporary Dutch Art in Flanders",
  Ministry of the Flemish Community, Brussels

1994

Belgium Ceramic exhibition, Bad Dürrheim, Germany
B.A.S.F. Antwerpen n.v., Belgium
Société Générale de Banque, Brussels

1993

Bronze, Helan Arts Foundation, Bornem, Antwerp,
  Belgium

1992

Europe Art, Geneva, Switzerland – 17th International
  Art Manifestation

13th International Exhibition of Ceramic of Spiez,
  Switzerland

1989

"La Femme Inspiratrice, La Femme Créatrice
  dans l'art belge contemporain", U.L.B., Brussels
National Exhibit of Sculpture, Franche Forme, Theux,
  Belgium

1988

Sculpture Garden, Medicinal Plants Garden,
  U.C.L. Woluwe, Brussels

1987

Museum M. Piron, Leuven, Belgium

1986

Palace of Fine Arts, Charleroi, Belgium

Selected public collections
Collections publiques

Brussels National Airport, Zaventem, Belgium
City of Santa Cruz de Tenerife, Spain
City of Ouistreham Bella Riva, France
City of Blankenberg, Belgium
City of Bornem, Belgium
City of De Pinte (Ghent), Belgium
Université Libre de Bruxelles, Brussels
Musée des Beaux-Arts et d'Archéologie
Joseph Déchelette, Roanne, France
Régie des Bâtiments, Belgian State
Région de Bruxelles-Capitale,
Commune of Ganshoren. Brussels
Frederik Meijer Gardens, Grand Rapids, MI, USA
European Council of Ministers in Brussels

Selected private collections
Collections privées

Centre d'Art Contemporain Château Beychevelle,
Bordeaux, France
Axa Belgium, Brussels
Sheraton Airport Hotel, Brussels
Siru Art Hotel, Brussels, Belgium
Société Générale de Banque de Belgique, Brussels
VP Bank Gruppe, Vaduz, Liechtenstein
Hôpital Universitaire Erasme, Brussels
Société Codic, Belgium
Seven Flags Foundation, Greenwich, Connecticut, USA

Chronological list of reproduced works
Liste chronologique des œuvres reproduites

INSTALLATION II, "FRAGMENT OF TIME", 1993
Clay models in studio **[114]**
Detail **[118]**

INSTALLATION I, 1993
Terracotta, 270 × 110 × 245 cm **[115, 116]**

"LE COURAGE", 1994 **[112, 113]**

INSTALLATION "LE COURAGE", 1994
Three lifesize figures
on Corten steel bases **[107-108]**
Bronzes on steel bases **[109]**

TERRACOTTA # 25, 1995
95 × 100 × 78 cm. Detail **[105]**

TERRACOTTA # 26, 1995
92 × 125 × 125 cm **[104]**
Detail **[28]**

BRONZE # 25, 1995
95 × 100 × 78 cm (on Corten steel base) **[106]**

TERRACOTTAS # 27 AND # 29, 1996
27: 40 × 200 × 90 cm
29: 90 × 85 × 130 cm **[102, 103]**

BRONZE # 32, 1996
310 × 230 × 50 cm (on iron base) **[101]**

TERRACOTTA # 36, 1997
70 × 50 × 120 cm **[98]**

TERRACOTTA RELIEF ON METAL SHEET, 1997
200 × 150 cm **[100]**

"LE DÉPART", BRONZES # 35, 1997
220 × 178 × 102 cm (steel base) **[95]**

DRAWING STUDY OF BRONZE # 35, 1997
Mixed media on paper, 75 × 54 cm **[96]**

DRAWING # 7, 1997
Mixed media on paper, 53 × 73 cm **[97]**

INSTALLATION "MELANCHOLIA I", 1997
Bronze # 48 on Corten steel base:
305 × 64 × 210 cm
Cast iron # 48 on Corten steel base:
280 × 95 × 210 cm **[1]**

TERRACOTTA # 39, 1998
100 × 80 × 170 cm **[93]**,
Detail **[123]**

TERRACOTTAS # 40 AND # 41, 1998
175 × 90 × 85 cm each (on iron base) **[99]**

"LE COURAGE", BRONZE # 21, 1998
300 × 90 × 100 cm (on base)
Erasmus Hospital, Brussels **[110]**

BRONZE # 35, 1998
Detail **[27]**

DRAWING STUDY OF BRONZE # 51, 1998
Mixed media on paper, 125 × 96 cm **[90]**

INSTALLATION "LE DÉPART", 1998
300 × 420 × 125 cm (steel base)
Brussels National Airport, Zaventem **[94]**

BRONZE # 39, 1999
100 × 80 × 170 cm **[92]**

CLAY MODEL # 44, 1999
66 × 80 × 52 cm **[133]**

BRONZE # 45, 1999
54 × 54 × 68 cm **[79]**

BRONZE # 51, 1999
77 × 72 × 54 cm **[91]**

BRONZE # 55, 1999
Detail **[30]**

PROJECTS FOR MONUMENTAL IRON AND
CORTEN STEEL SCULPTURES, 1998-2000
93 × 106 cm, 89 × 70 cm **[68, 69]**

CAST IRON # 46, 2000
190 × 90 × 56 cm (on base) **[80, 81]**

CAST IRON # 47, 2000
180 × 40 × 50 cm (on base) **[82]**

BRONZE # 48, 2000.
Detail **[88]**

BRONZE # 54, 2000
52 × 60 × 80 cm **[83]**

BRONZE # 55, 2000
130 × 64 × 108 cm **[86]**

DRAWING STUDY OF BRONZE # 55, 2000
Mixed media on paper, 125 × 96 cm **[124]**
BRONZES # 56, 2000
145 × 90 × 200 cm **[84]**

COMPOSITION # 45, 2000
Cast iron, 166 × 200 × 65 cm (on base) **[77]**

INSTALLATION "MELANCHOLIA I",
BRONZE & CAST IRON # 48, 2000
310 × 64 × 210 cm (bronze on base)
280 × 95× 210 cm (cast iron on base) **[87, 89]**

INSTALLATION "MELANCHOLIA II",
BRONZE # 55, 2000
250 × 85 × 200 cm (sculpture on base)
85 × 85 × 140 cm (iron frame on base) **[85]**

CAST IRON # 45, 2001
Detail **[78]**

CAST IRON # 61, 2001
255 × 57 × 55 cm **[66, 67]**

CAST IRON # 63, 2001
170 × 142 × 62 cm **[64]**

BRONZE # 59, 2001
38 × 28 × 51 cm **[50, 51]**

BRONZES # 59 AND # 60, 2001
59: 38 × 28 × 51 cm
60: 85 × 35 × 40 cm **[50]**

BRONZE # 63, 2001
170 × 142 × 62 cm **[65]**

COMPOSITION # 44, 2001
Cast iron, diam. 200 cm, H. 180 cm **[135]**

"INTERACTION AND SELF-PROTECTION", 2001
Bronze and Corten steel,
600 × 300 × 100 cm **[70-74]**
Cast bronze,
600 × 300 × 120 cm (on base) **[111]**

CAST IRON # 62, 2002-2003
178 × 35,5 × 59 cm (on base) **[76]**

Crédit photographique

Stefano Baroni : nos 1, 6-8, 30, 41, 45, 46, 62, 77, 84, 85, 87, 106,
p. 152-153, p. 224-225

Hanneke Beaumont : nos 2, 95, p. 230, p.231 haut

Maarten Brinkgreve : no 57, p. 236-237

Erio Forli : no 117, p. 222 gauche et bas, p. 223

Thomas Hutereau : nos 15-16, 70, 71, 73, 74, 111

Alain Irlandes : nos 81, 109

Julian Jans : nos 9, 31, 53, 58, 59, 63, 88, 119
p. 46-49, p. 226-227

Frederick Lukoff : p. 222 à dr. en haut, p. 229 bas

Mijntje Lukoff : p. 220, p. 229 haut

Mireille Roobaert : no 121

Arnaud Schmutz : nos 43, 89, p. 6-7

Luc Schrobiltgen : nos 17-19, 20, 32-37, 38, 42, 44, 47-49, 51, 52, 54-56, 61,
65-69, 76, 79, 80, 82, 86, 90-93, 96-98, 100-105, 110, 114,
120, 124-125, 127-132, p. 134-135, p. 137, p. 159, p. 228

Sabella : n°64

Wim Van Nueten : nos 3-5, 10-14, 21-29, 39-40, 50, 72, 75, 83,
94, 115, 116, 122, 126, p. 4-5

Bart Versteeg : n° 78, p. 9

En dépit de nos recherches, il nous a été impossible d'entrer en rapport
avec les auteurs des photographies
nos 60, 99, 107, 108, 112-113, 118, 123, 133-134
pages 231 bas, 232, 234, 235 de l'ouvrage.
Ces documents nous paraissant importants pour la compréhension
de l'œuvre d'Hanneke Beaumont, nous avons pris l'initiative de les publier
après avoir veillé à provisionner, en comptabilité,
le montant des droits correspondants à cette utilisation.
Nous tenons en conséquence à inviter les auteurs de ces photographies,
ou leurs éventuels ayants droit, à se mettre en rapport avec nous.

Cet ouvrage a été réalisé sous la direction de Philippe Monsel

Coordination éditoriale : Sylvie Poignet
Conception graphique : Catherine Breteau
Mise en page PAO, infographie : Camille Delahousse

Fabrication : Bernard Champeau
Photogravure : IGS à Angoulême

Achevé d'imprimer le deuxième trimestre
deux mille huit sur les presses
de l'imprimerie ContiTipocolor, à Florence, Italie